S0-BJY-250

权威探秘百科

恐龙探秘

[澳大利亚] 约翰·隆 博士 编著
齐鑫 翻译

中央编译出版社

图书在版编目（CIP）数据

权威探秘百科．恐龙探秘（澳）隆（Long,J.）编著；齐鑫译．
—北京：中央编译出版社，2008.3
ISBN 978-7-80211-606-1

Ⅰ．权… Ⅱ．①隆…②齐… Ⅲ．①科学知识－青少年读物②恐龙－青少年读物
Ⅳ．Z228.2 Q915.86-49

中国版本图书馆CIP数据核字（2008）第005431号

Color reproduction by Chroma Graphics (Overseas) Pte Ltd
Printed by LeeFung - Asco Printers
Printed in China

权威探秘百科

恐龙探秘

编著	[澳大利亚] 约翰 · 隆 博士
翻译	齐 鑫
英文审订	徐明强
责任编辑	吴颖丽
项目编辑	杨 娜 张晓荣
项目策划	禹田文化
出版人	和 龑
出版	中央编译出版社
地址	北京西单西斜街36号
邮编	100032
编辑部	(010)66509360 66509365
发行电话	(本市)(010)66509364 66509618
	(外埠)(010)88356825 88356856
网址	http://www.cctpbook.com
印刷	利丰雅高印刷（深圳）有限公司
经销	各地新华书店
版次	2008年3月第1版 第1次印刷
开本	243×265 1/16
印张	4
字数	40千字
定价	29.80元

本社常年法律顾问：北京建元律师事务所首席顾问律师 鲁哈达
凡有印装质量问题，本社负责调换。电话：010-66509618

Dinosaurs insiders

跨进知识的新大陆

我们有两个世界，成人的世界和孩子们的世界，但这两个世界完全不一样。

一个是平面的、刻板的，几乎没有一点儿灵性。一个是多面的、神奇的，充满了五彩缤纷的幻想，简直就和童话一样，是一个奇异的魔方世界。

在成人眼睛里，科学是干巴巴的原理和枯燥的公式，在孩子们的眼睛里，科学是充满幻想的天地和有趣的故事。

为什么会这样？因为在刚刚进入世界不久的孩子们的眼睛里，什么都是新奇的。每一片树叶、每一颗星星后面，似乎都隐藏着一个秘密。每一颗沙粒、每一个浪花里面，好像都隐藏着一个新大陆。他们本来就有成人所没有的特异功能，是天生的幻想家。

为什么会这样？因为孩子们都有一颗求知的心，对身边不熟悉的世界，天生就有寻根问底的精神。他们才是最勇于发现的探索者。他们渴求知道一切，渴求发现科学的新大陆，做一个征服知识海洋的哥伦布。

什么知识最吸引孩子们的心？应是遥远的和新奇的，越遥远越有神秘感，越新奇越有吸引力。

要寻找这个地方，可不是一件容易的事情。

来吧，到这套书里来吧！这里有遥远的未知世界，这里有新奇的科学天地。

来吧，到这套书里来吧！这里有丰富的知识、精美的图片。

走进来吧！这里就是认识科学的起点。学会了，看懂了，就向科学的道路迈进了一步。一步步往前走，谁说这不是未来的科学家、未来的大师的起点呢？

刘兴诗

地质学教授、儿童科普作家

目录

介绍

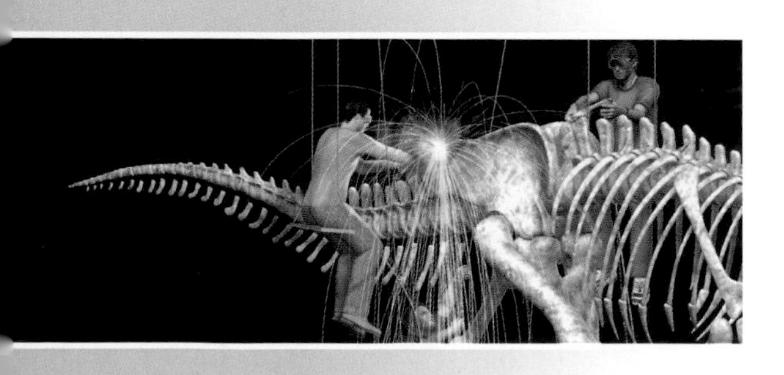

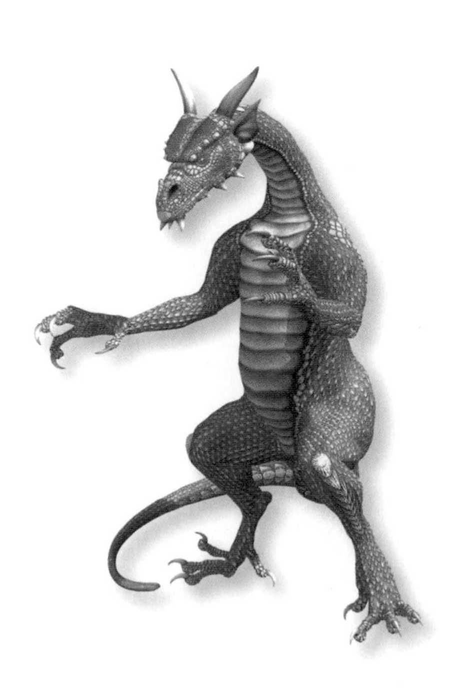

聚 焦

食肉恐龙

食草恐龙

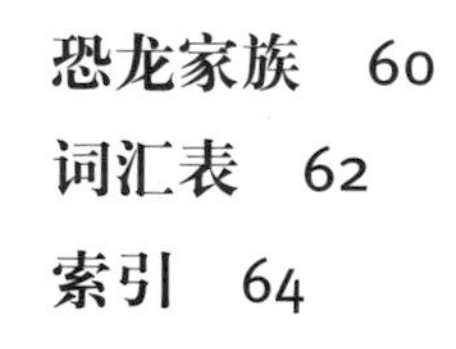

介 绍

恐龙帝国

恐龙是一群大多数体态巨大的爬行动物，它们曾统治地球长达1.6亿年，直到6 500万年前突然消失。我们把它们生活的时代称为中生代。至今，人们已发现并确认的恐龙有800多种，从凶猛的捕食者霸王龙到鸽子般大小的小盗龙，大小不同，形态各异。像今天的哺乳类动物一样，这些恐龙的适应性很强，它们生活在从天空到海洋的各个角落，今天的鸟类就是食肉恐龙的直系后代。

恐龙的演变

在1.6亿年间，恐龙经历了从小到大、从简单到复杂的演变过程，下图为我们展示的是兽脚类食肉恐龙的进化过程。

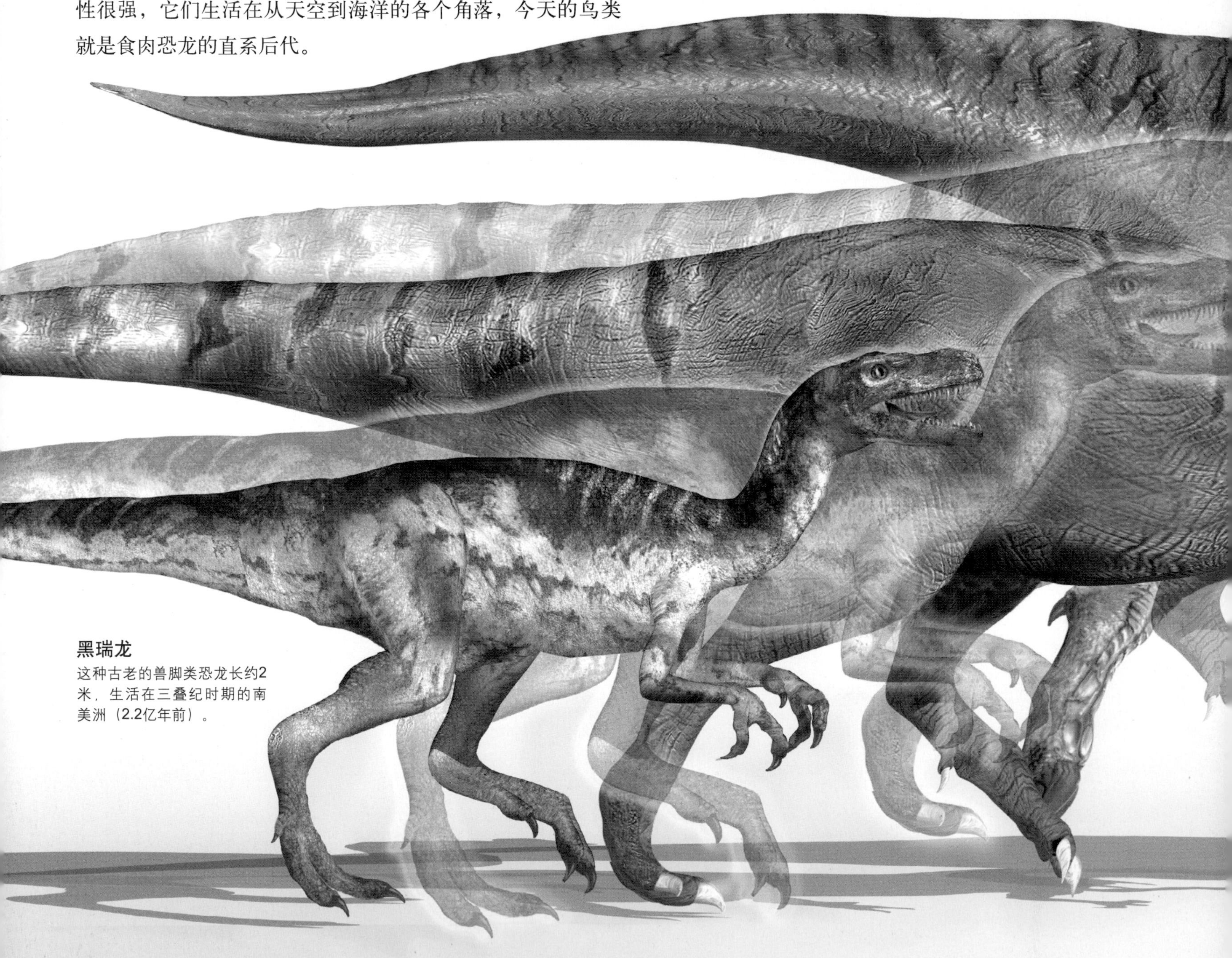

黑瑞龙

这种古老的兽脚类恐龙长约2米，生活在三叠纪时期的南美洲（2.2亿年前）。

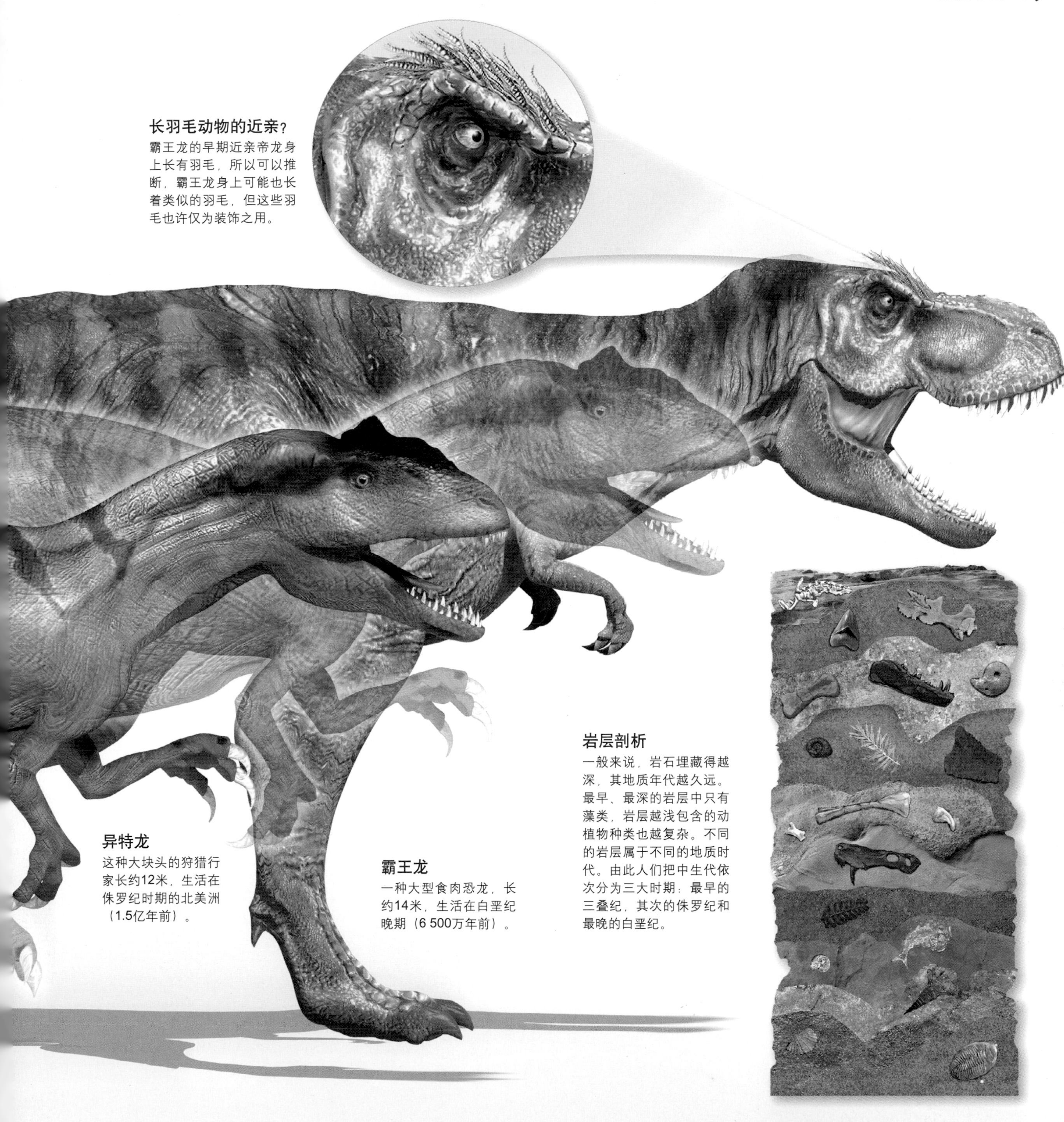

长羽毛动物的近亲？

霸王龙的早期近亲帝龙身上长有羽毛，所以可以推断，霸王龙身上可能也长着类似的羽毛，但这些羽毛也许仅为装饰之用。

异特龙

这种大块头的狩猎行家长约12米，生活在侏罗纪时期的北美洲（1.5亿年前）。

霸王龙

一种大型食肉恐龙，长约14米，生活在白垩纪晚期（6 500万年前）。

岩层剖析

一般来说，岩石埋藏得越深，其地质年代越久远。最早、最深的岩层中只有藻类，岩层越浅包含的动植物种类也越复杂。不同的岩层属于不同的地质时代。由此人们把中生代依次分为三大时期：最早的三叠纪，其次的侏罗纪和最晚的白垩纪。

恐龙 纪年表

地球的历史

地球已存在了大约45亿年。我们把这么长的一段时间划分为几个主要的部分，称之为代和纪，并根据期间发生的重大事件为之命名。

古生代

恐龙出现之前

大约在5.4亿年前，地球上的生命开始繁盛，我们把这段时期称为古生代。它开始于寒武纪，包含了直至二叠纪的几个时期。

寒武纪：
三叶虫

奥陶纪：
鹦鹉螺

志留纪：
有颌鱼类

石炭纪：
蕨类植物

二叠纪：
类似哺乳类的爬行动物

5.4亿年前～2.45亿年前　　数亿年

中生代

三叠纪

三叠纪晚期，气候开始变得温暖，恐龙随之诞生。在早期爬行动物繁衍的同时，最早的一批恐龙也开始进化。脚骨的发达使它们完成了从四肢爬行到两肢行走的演变，奔跑也更加迅速。

小型初龙
1.3亿年前

艾沃克龙
2.28亿～2.21亿年前

幻龙
2.27亿～2.1亿年前

优肢龙
2.27亿～2.1亿年前

麦兰诺龙
2.27亿～2.1亿年前

2.45亿年前～2.08亿年前　　3 700万年

腔骨龙
2.25亿年前

里澳哈龙
2.21亿～2.1亿年前

摩根尖齿兽
2.21亿～2.1亿年前

哥斯拉龙
2.15亿～2亿年前

法布尔龙
2.08亿～1.96亿年前

板龙
2亿年前

侏罗纪

侏罗纪晚期是恐龙的鼎盛时期。这时候空气里的氧含量上升，气候变得温暖湿润，植物也更加茂盛。这些都为食草类恐龙的发展创造

德莱斯特兽
1.5亿年前

鲨科动物

踝龙
2.02亿～1.95亿年前

蜥龙
2.02亿～1.9亿年前

蜀龙
1.69亿～1.59亿年前

2.08亿年前～1.44亿年前　　6400万年

白垩纪

开花植物的出现使地貌景观发生了巨大变化，这可能是白垩纪后半期恐龙种类增加的主要原因。

1.44亿年前～6500万年前　　7900万年

新生代

后恐龙时代

恐龙灭亡后，各种鸟类和哺乳类动物添补了它们在大地和天空中留下的空间。随后，一些类似鲸鱼和企鹅的海生动物占领了海洋。古猿在大约300万年前进化成早期人类。

6500万年前～今　　6500万年

恐龙出现
三叠纪

大约在2.4亿年前三叠纪的初期，地球上所有的陆地还都连在一起，我们把这片超级巨大的陆地称为泛古陆。起初地球上气温很低，后来逐渐变得温暖并有了季节变化，多样的地貌随之产生。最早的爬行类恐龙、哺乳类动物和会飞翔的恐龙在此繁衍生息。此外，在这片针叶类和苏铁目植物点缀的大地上还生活着小型类蜥蜴动物、大型类哺乳动物以及巨大的两栖动物。三叠纪晚期，干旱开始席卷地球，泛古陆赤道周围的地区逐渐沙漠化。

真双齿翼龙
早期翼龙的一种，头很短，牙齿很小，可能以捕食昆虫为生。

板龙
板龙体长可达10米，是三叠纪时期最大的恐龙之一。

腔骨龙
这种长颈食肉类恐龙以群居为生，它们的化石曾大量集中出现。

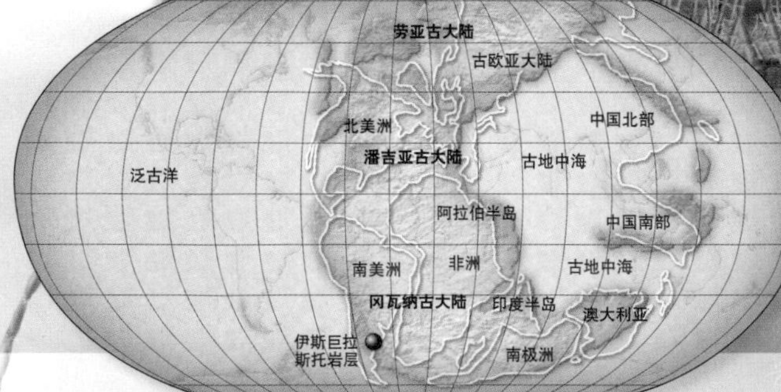

三叠纪世界
三叠纪时期的主要大陆都集中于泛古陆，环绕它的是一片广阔无际的海洋，即泛古洋。

三叠纪大陆
今天的海岸线
今天各大陆的分布位置

伊沙瓜拉斯托地区的恐龙

大约2.26亿～2.2亿年前，在今天阿根廷西北部地区生活着最早的恐龙和哺乳动物。一些类似始盗龙这样的小型食肉恐龙，在与比自己大的类哺乳食肉动物争夺食物中求得生存。其他恐龙，比如板龙，则以食草为生。

古蜻蜓

三叠纪的古蜻蜓与现在的蜻蜓差别不大，但它们的翼展更长，可达20厘米。它们是小型迅捷恐龙的美味佳肴。

新芦木

这是一种常见的木贼属植物，临水而生，可以长至几十厘米高。

布拉赛龙

这种类哺乳类爬行动物长约2米，食草为生，面部前端的角状喙可以啃食植物。

始盗龙

这种食肉恐龙长约1米，名字喻义：“黎明盗贼”。

弱肉强食的时代
侏罗纪

侏罗纪时期，气候温暖潮湿，适于大片森林的生长。这为长颈蜥脚类恐龙的繁盛提供了必要条件，同时以捕食它们为生的大型兽角类食肉恐龙也在进一步演化。随着翼龙成为天空的主宰，陆地上其他的食草恐龙也进化出骨甲保护自己。这时，最早的鳄鱼出现了，与各种小型哺乳动物共同生活在这个恐龙帝国里；随后，海洋里又出现了类似鱼龙的大型海生爬行动物，它们以各种硬骨鱼为食。最早的鸟类——始祖鸟，也在这一时期的欧洲进化出现。

雷龙

这类蜥脚类恐龙体长约21米，它们的超级体重足以推倒一棵大树，人们推测它们就是这样吃到树上新长出来的叶子的。

莫里森地区的恐龙

大约在1.5亿年前，许多不同种类的恐龙在北美广袤的冲积平原上繁衍生息，它们的四周生长着大片的稀疏针叶林和蕨类植物。最大的蜥脚类恐龙被兽脚类恐龙猎食，小一些的恐龙则猎捕青蛙、蝾螈和飞翔的翼龙。

剑龙

这种全副武装的食草恐龙长约9米，尾部四根锋利的尾钉可以保护自己。

马什龙

为纪念著名恐龙发现家马什而为之命名。这种兽脚类恐龙长约5米，前肢短小，长有锋利而弯曲的牙齿。

蜥蜴和龟

早期的蜥蜴、乌龟、青蛙和蝾螈与今天的区别不大，它们共同生活在近水的地方。

侏罗纪世界

北美大陆漂移后与亚欧大陆和非洲大陆逐渐分开，形成了古大西洋。此时，南部的冈瓦那超大陆并未发生太大变化。

三叠纪大陆
今天的海岸线
今天各大陆的分布位置

翼龙
侏罗纪时出现了一些小型翼龙，它们有的尾巴很长，有的还没有进化出尾巴，大多食鱼为生。
植物
大型针叶类植物，如南洋杉等分布在大陆上，树上不时有类似松果的果实落到地面。
棱角鳞鳄
早期鳄鱼的一种，生长在河流里，以捕食水中生物和到水边饮水的动物为生。

飞向天空
白垩纪

白垩纪时期，不停移动的大陆使气候的季节变化更加明显：赤道周围十分温暖，随着纬度升高，气温逐渐降低。此时，地球上恐龙的种类增多，原有鸟类和哺乳类动物的数量也在增加。最早的开花植物——被子植物出现于白垩纪早期，并逐渐覆盖了广阔的陆地。在这一时期即将结束的时候，一颗巨大的陨石撞击地球，扰乱了恐龙世界，把这个本已出现消亡迹象的种群带入了彻底的毁灭。

秀丽郝氏翼龙

这种长喙翼龙长有很多小牙齿，翼展可达1.3米，它们以湖中的小鱼为食。

义县地区的恐龙

在1.3亿年前的中国，许多恐龙和早期鸟类都生活在湖泊旁。一些掉入湖中静水里的恐龙被沉积物埋葬，它们皮肤上的细部特征得以完好保存。这些保留下来的痕迹显现出一些恐龙身上确实长有像鸟一样的羽毛。

本内苏铁目植物

这些裸子植物与苏铁类植物相似，长有粗壮的树干和茂密的羽状枝叶。

鹦鹉嘴龙

这种食草恐龙长约1米，它有像鹦鹉一样的头，尾巴上类似豪猪的刚毛可以起到保护作用。

硕壮爬兽

在这种动物的内脏里发现了一些幼年鹦鹉嘴龙的骨骼残骸，以此推断它们属于食肉类动物。

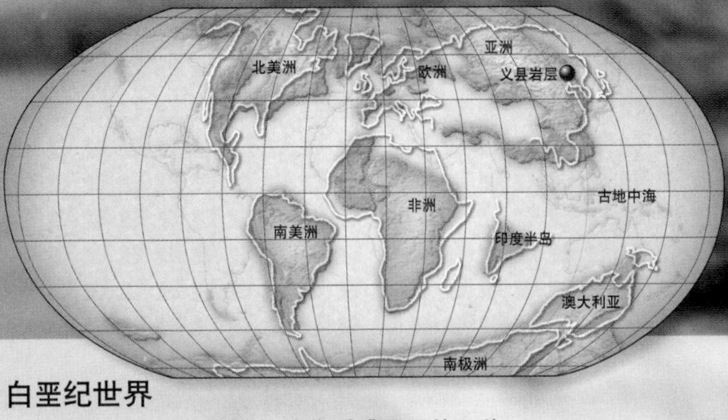

白垩纪世界

这时，南边的冈瓦那超大陆分裂成不同的几片陆地，寒冷的气候开始统治高纬度地区，极地气候由此出现。

- 三叠纪大陆
- 今天的海岸线
- 今天各大陆的分布位置

小盗龙
这种小型的食肉恐龙只有公鸡那么大，前后肢上都长有分叉的羽毛。
帝龙
帝龙体长1.6米，被视为长有羽毛的霸王龙，其名喻义"恐龙中的帝王"。
针叶树
这种树几乎统治了白垩纪早期的整个植物界，而在晚期时候逐渐被开花植物取代。
宁城热河翼龙
这种翼龙翼展只有60厘米，锋利的牙齿和较宽的面部说明它们主要以捕捉昆虫为食。

时代结束的开端

据推测，这一致命撞击发生在今天墨西哥尤卡坦半岛附近，撞击产生的坑型塌陷有200千米宽。坑中的表层岩石有被海啸和地震剧烈作用过的痕迹。

阶段1：撞击

陨石的剧烈撞击使周围所有的生命在瞬间焚尸殆尽，陨石蒸发时将大量高温碎片抛射到大气上层。

阶段2：海啸与火山

撞击过后，气化的物质冷却下来，灰尘滞留在大气中。大地震之后的余震又产生了一系列小地震。在地球的另一面，撞击产生的冲击波还导致了火山爆发。

恐龙的灭绝

大约在6 500万年前，地球受到一颗直径为7千米～10千米的巨大陨石的撞击。这颗陨石以每秒11千米的速度将地球的大气层撕开一个大洞，并在撞击的瞬间被高温蒸发。这次撞击在大气上层产生了大量灰尘和尘埃，它们遮挡住阳光却吸收了大量紫外线，致使地球气温升高；撞击还对地壳造成了损害，导致大量火山爆发。恐龙在这一时期灭绝，同时灭绝的还有许多大型爬行类动物和水生无脊椎动物。

其他解释

有些人认为恐龙是因为无法适应气候的剧烈变化而灭绝的，还有些人则把灭绝的原因归咎于火山爆发时产生的毒气或者是它们自身的基因突变。

气温下降

暖流随陆地移动发生偏转，来自极地的冰冷海水使海洋水温下降，并产生冰盖。

气温上升

温室气体充斥在大气层中，吸收了大量来自太阳的热量，导致地球表面温度升高。

灾难中的幸存者

许多爬行类和两栖类动物幸免于难，如龟类、鳄鱼、青蛙、蝾螈等。鸟类和哺乳类动物也在灾难中生存了下来。

磨雉生活在南美洲，是现存下来的一种原始鸟类。它的翅膀上长有爪子，类似早期的史前鸟类。

阶段3：长期的变化

大气层中的灰尘和悬浮颗粒导致酸雨产生，并加速了温室效应。地球上的植物大量死亡，迫使食草动物随之灭绝。

恐龙解析

恐龙是一种可以将腿蜷屈在身体下方的爬行动物，与其他只能匍匐行进的爬行动物相比，恐龙可以直立行走甚至自由奔跑。这种直立的姿态可以节省能量消耗，还能使它们进化成活力十足的温血动物，而其他爬行动物都还只是行动缓慢的冷血动物。我们把恐龙分成两大类：包括食肉兽脚类和食草蜥脚类恐龙的蜥臀目，和其他所有食草类恐龙组成的鸟臀目。

臀部
霸王龙的臀部骨骼——坐骨、髂骨和耻骨等，都是典型的蜥臀目恐龙的骨架结构。强有力的腿部肌肉就连在髂骨上。

胃
霸王龙习惯大口吞咽食物，而且几乎都不咀嚼，所以它们需要一个很大的胃来装这些大块的、正在消化中的肉。

头骨
头骨由长有牙齿的巨大颌骨和许多保护大脑的小块骨头组成，头骨中的孔洞帮助减轻头骨重量。

骨骼、组织、肌肉和皮肤

像其他脊椎动物一样，恐龙的皮肤之下也有由软组织连接而成的肌肉骨骼，霸王龙经长期进化而来的身体特征有助于它的捕食。

后脚
这些基本上都是趾骨，通过跖骨和腿部连接。它们紧紧聚集在一起，支撑起踝骨和恐龙巨大的体重。

肠
肠从经过部分消化的食物中吸收营养。食肉恐龙不需要食草恐龙那么长的肠子。

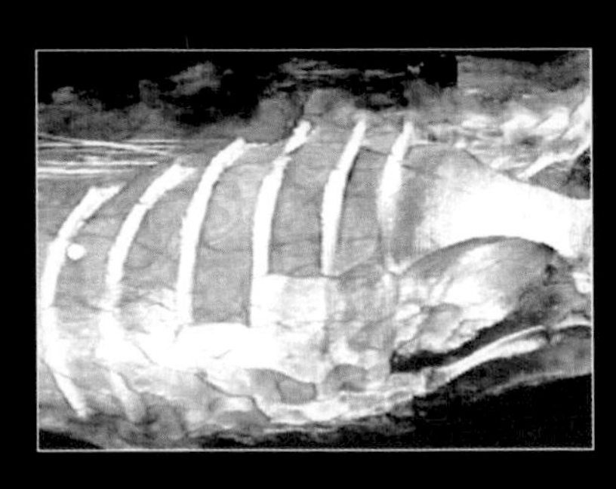

心脏化石
这块化石原是塞塞罗龙的心脏化石，因为里面富含铁元素，所以它非但没有像其他软组织一样腐烂，反而变成了矿石，数年后又演变成化石。

旧伤
这枚雷利诺龙的大腿骨化石发育反常，显示它曾经受过伤——可能是被捕食者咬伤或是自己摔伤的。伤后感染，但显然随着恐龙的生长，伤口最后痊愈了。

后腿
霸王龙的后腿强而有力，这样才能支撑住重达4吨～5吨的身体。过于庞大的身躯限制了它的奔跑速度。

肺
当霸王龙怒吼时，它巨大的肺可以从空气中吸取足够的氧来供应庞大的身躯。

尾部
霸王龙用翘起的尾巴平衡身体前部的重量，这样在它摔倒时就不会头先着地。

上下颌
霸王龙厚重的上下颌之间有一个特殊的连接组织，它可使霸王龙的嘴张开1.2米宽。

背部
背部隆起，突起的脊椎骨与颈部和背部的肌肉相连。

眼睛
这双专业猎手的眼睛可以直视前方，它的立体成像能力能让霸王龙看清周围的环境。眼睛上方还有突起的小段眼骨。

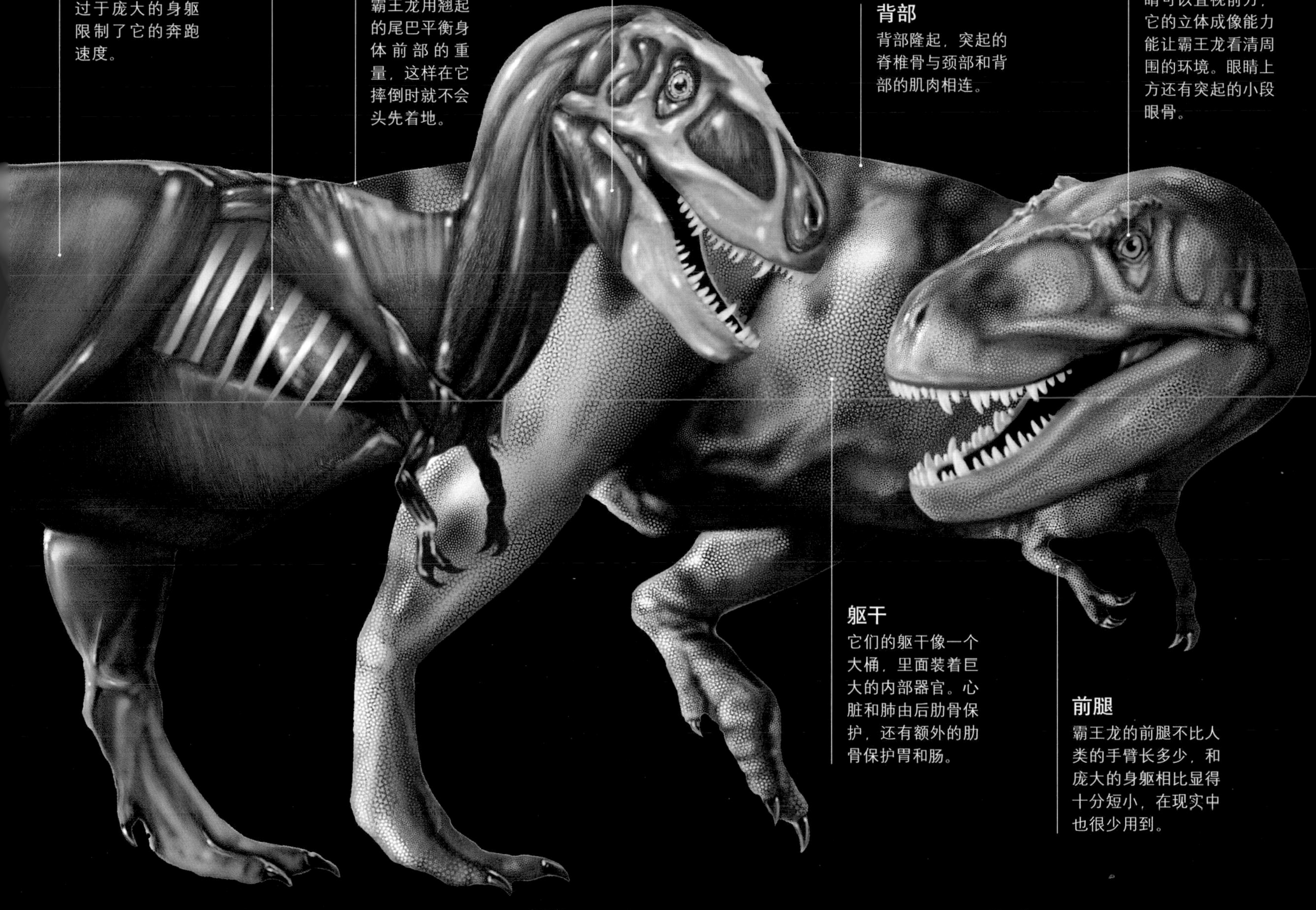

躯干
它们的躯干像一个大桶，里面装着巨大的内部器官。心脏和肺由后肋骨保护，还有额外的肋骨保护胃和肠。

前腿
霸王龙的前腿不比人类的手臂长多少，和庞大的身躯相比显得十分短小，在现实中也很少用到。

髂骨 耻骨 坐骨

髂骨 耻骨 坐骨

两类不同的臀部骨骼
蜥臀目恐龙长有与蜥蜴类似的臀部骨骼；鸟臀目恐龙的臀部骨骼则与鸟类相似。现在的鸟类就是由蜥臀目恐龙进化而来的，但也有鸟臀目恐龙的骨骼特征。

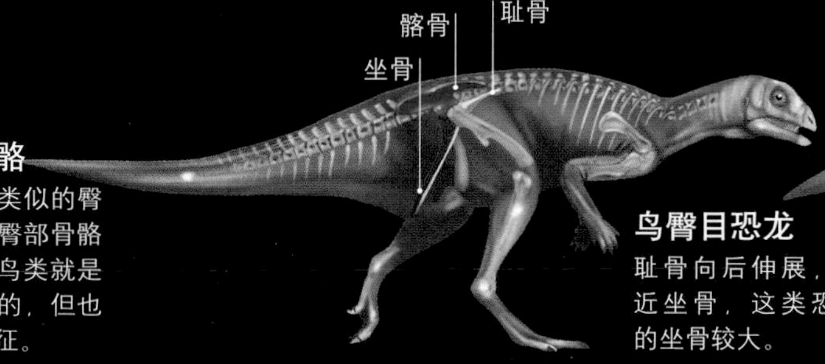

鸟臀目恐龙
耻骨向后伸展，贴近坐骨，这类恐龙的坐骨较大。

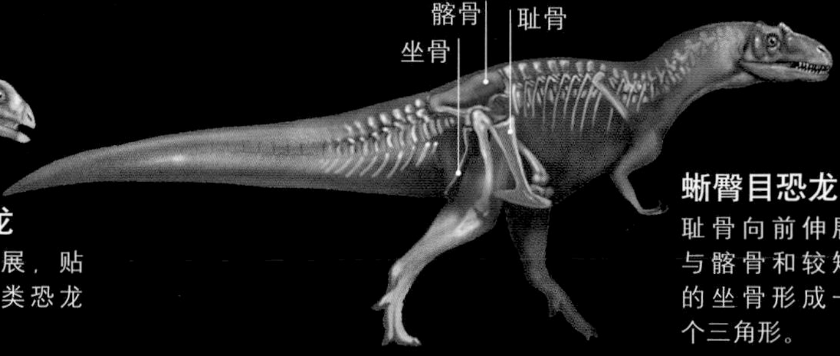

蜥臀目恐龙
耻骨向前伸展与髂骨和较短的坐骨形成一个三角形。

攻与守
学会生存

恐龙要在日复一日的战斗中求得生存，进攻其他恐龙或是防守自卫。大多数食肉恐龙用嘴来进攻，嘴里长满锋利的牙齿；有些也会用长在前后肢上的利爪踢或抓伤敌人的胸部，它们可能就像今天的狮子或猎豹那样追踪猎物。而食草恐龙为了抵御这样的进攻，进化出了许多相应的身体防御结构：有些头上长有角质骨盾，有些背上长着坚硬的骨板或锋利的骨钉，还有的尾巴上长着巨大的骨锤，挥舞着打击来袭者。

对峙

一头亚伯达龙张着血盆大口，虎视眈眈地盯着一头戟龙；而这只长有长角的戟龙也严阵以待，它的骨盾发出警告：如果受到威胁，它就会冲向亚伯达龙。

防御还是展示？

长有角和骨盾的恐龙，比如原角龙，可能会像现代的鹿那样使用自己的角。它们会用自己的角抵御来袭者的进攻，或是在交配季节与其他雄性原角龙决斗来争夺配偶。还有一种可能就是这些角和骨盾只是为了展示：角越大，骨盾色彩越鲜艳，就越有可能吸引雌性恐龙的注意。

进攻

犹他猛龙
长有锯齿状的牙齿，前后肢末端都生有镰刀状的爪。

恐爪龙
这种恐龙通常结群出猎，它们速度快，牙齿锋利，长有镰刀状的爪子。

防守

禽龙
这种龙群居以威慑进攻者，前肢上长有锋利的指甲。

异特龙
长有锋利的牙齿和强有力的爪，眼睛上方还生有小角。

伤齿龙
它的脑容量较大，有助于捕猎，眼睛可以部分地直视前方，以便更准确地看清猎物。

重爪龙
这种龙用钩状的爪子抓鱼，用鳄鱼状的嘴将鱼吞食进肚。

甲龙
长有坚硬的骨质盔甲，背部生有骨钉，尾部还有巨大的骨锤。

剑角龙
长有坚硬、隆起的头骨，头部四周还有一圈适于冲撞的骨钉。

梁龙
这种龙身躯庞大，长长的尾巴可以像鞭子一样挥舞。

恐龙与飞翔

大约在1.5亿年前，一些小型食肉类恐龙开始进化出羽毛。起初只是一些用于保暖的简单羽毛，后来可能为了吸引配偶，羽毛变得更大更漂亮。它们前肢和指头上的骨骼进化得更像翅膀，一些兽脚类恐龙还可以在树间滑行。但是这时还没有一种长羽毛的恐龙能够真正飞行，直到最早的鸟类——始祖鸟出现。始祖鸟前肢很长，长有翅膀，尾部满是利于飞翔的羽毛。它们的骨骼与兽脚类恐龙的十分相似，古生物学家们一致认为：最早的鸟类是由恐龙进化而来的。

从前肢到翅膀

在从恐龙前肢进化到鸟类翅膀的过程中，腕关节发生了巨大变化：骨头变得更长、更轻，羽毛也逐渐增大。这些变化可以让恐龙从地面起飞，实现飞翔。

中华鸟龙

体表有短羽覆盖。像大多数兽脚类恐龙一样，它们的前肢骨骼很短。

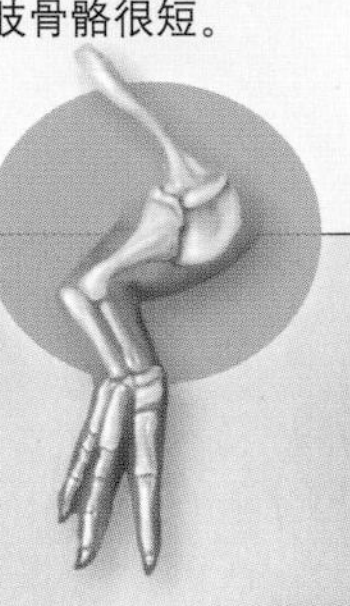

尾羽鸟

前肢上长有更大、更细密的羽毛，指骨增长。

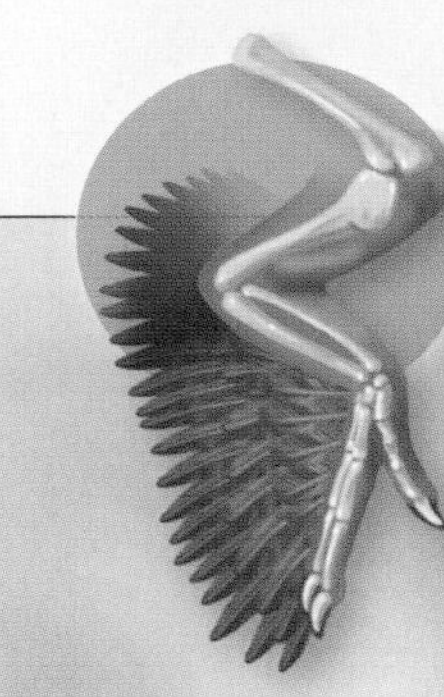

迅猛龙

发现于中国，这种恐龙的腕骨和叉骨里都长有类似鸟类的小骨头，它们的前肢和爪的长度相当于早期鸟类的翅膀。

尾羽鸟

这种在中国发现的恐龙有火鸡般大小，它们虽然不会飞，但却是第一种前肢上长有大且丰满羽毛的恐龙，在当时可能仅做展示之用。

帝龙

这种在中国发现的恐龙是霸王龙的早期亲戚，它们体长1.6米，羽毛比中华鸟龙的更长、更丰满。

中华鸟龙

发现于中国，这是目前已知最早长出真正羽毛的恐龙。它们全身覆盖着短如毛发的毛，但因前肢太短，还不能飞行。

半鸟龙

这种发现于南美的恐龙有着特殊的本领——它们能像鸟类那样折起或振动前肢。但因体形太大，也不能飞行。

飞行一族

古生物学家们最近在中国发现了很多1.3亿年前长有羽毛的恐龙化石，这些化石完全改变了我们关于鸟类起源的看法。它们清楚地表明，今天的鸟类是从那些小型长羽毛的食肉恐龙进化而来的。

小盗龙
羽毛更加丰满，前肢和指骨更长，骨头中空以减轻重量。

始祖鸟
更长、更轻的前肢骨骼以及更成熟的羽毛和尾羽，可以让它们实现真正的飞行。

始祖鸟
最早的鸟类，像乌鸦一般大。它们的骨骼与小盗龙的相似，前肢上独特的飞羽可以实现真正的飞行。

小盗龙
鸽子般大小的恐龙，前后肢上都长有发育成熟的羽毛，它们在树间滑行并捕食昆虫。

四翼盗贼
这是小盗龙的化石，发掘自中国辽宁省，其名喻义：“小盗贼”。这块化石展示了它们前后肢的羽毛形成“翅膀”的过程。

伤齿龙
它们的骨骼很像早期的鸟类，尤其是大脑——相对发达的大脑可以在飞行中处理更多的信息。

哺育 幼龙

像其他爬行动物和鸟类一样，恐龙交配后也由雌性恐龙产蛋，之后它们会细心看护自己的蛋和幼龙。一些食草恐龙，如慈母龙，常在一起成群做窝；一些长颈蜥脚类恐龙会选择一片很大的产卵地，然后随意在每个窝里产下一些蛋；盗蛋龙则独自做窝，在窝中把蛋整齐地围成一圈。有些食草恐龙会照料自己的幼龙直到它们能独自行走，在这期间，小幼龙完全依靠父母的喂养和保护。小型食肉恐龙则生长较快，在孵出不久后就能奔跑了。

好妈妈

慈母龙通常成群做窝，把窝建得紧密相连。然后它们会在窝里待上6～8个月来照料自己的幼龙，直到幼龙的腿部长得足够强壮，能够独自行走。

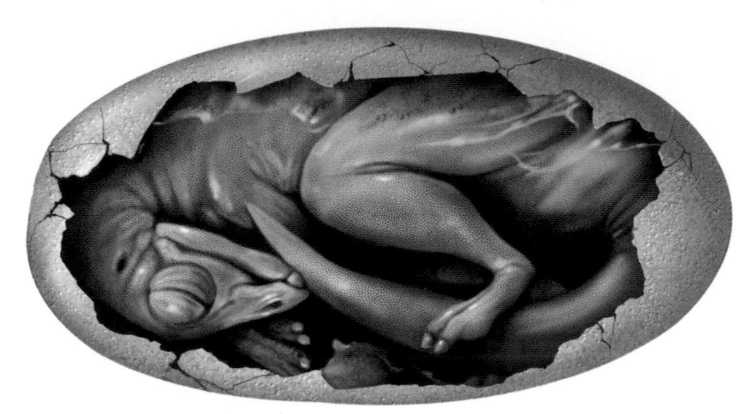

未孵化的幼龙

慈母龙胚胎的身体比例不同于成年恐龙，它们的躯干很长，头和尾巴较短，四肢十分纤细，骨头都还多是软骨。

身份错误

它们的化石最早是与数枚原角龙的蛋一起发现的，所以得名“盗蛋龙”。最近的发现证明这些蛋其实是盗蛋龙自己的，它们是在看护自己的蛋而不是要盗取。下图的化石显示，盗蛋龙死时正坐在自己的窝上，用前腿怀抱着自己的蛋，给它们保温。

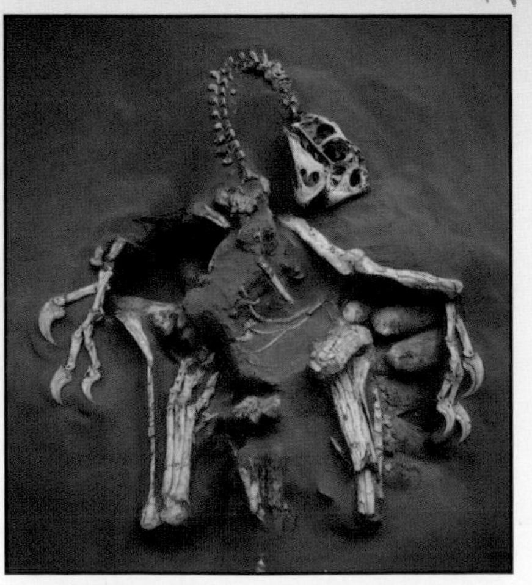

石化的盗蛋龙骨骼正坐在自己的窝上

盗蛋龙用自己的体温孵蛋

不同的恐龙蛋

恐龙蛋的大小不同，形状各异，恐龙一次可产下7～50个恐龙蛋。这些脆弱的蛋很容易摔碎或者裂开，所以很多都不能成功孵化。

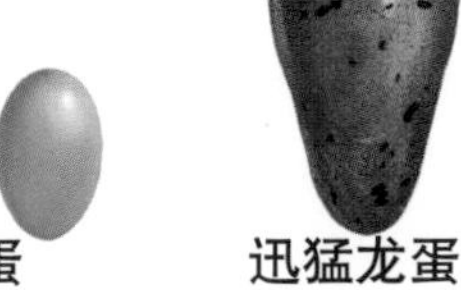

鸡蛋

我们把鸡蛋作为参照物，以便比较其他恐龙蛋的大小。

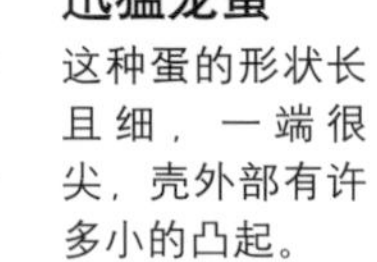

迅猛龙蛋

这种蛋的形状长且细，一端很尖，壳外部有许多小的凸起。

高桥龙蛋

这种恐龙蛋呈椭圆形，有足球那么大。

原角龙蛋

这种食草类恐龙的蛋又长又细，壳上有瘤状的凸起。

蜥脚类恐龙蛋

这种大个椭圆形蛋的外壳上有很多小的凸起。

觅食
幼龙的咀嚼和消化系统还没有完全发育，它们的父母会寻找蕨类和针叶类植物的叶子喂食它们：成年龙先将叶子咀嚼、部分消化后再喂给幼龙。
筑巢
成年恐龙把巢穴筑在堆起的沙子上，表面还铺有一层树叶。这样可以将巢穴与地面隔离开来，保证巢内温度恒定。
喂食
刚孵化的幼龙在争抢父母口中的食物。它们要在父母的保护下度过几个星期，然后才能离开巢穴独自觅食。
破壳而出
幼龙需要自己用嘴撞开卵壳才能顺利孵化出来，新出生的幼龙十分弱小。

恐龙之最

在恐龙统治地球的1.6亿年间，它们创造了陆上动物最大、最重和最长的记录。地震龙有10辆汽车那么长、5层楼那么高，走起路来连地面都会颤抖；而最小的恐龙只有公鸡那样大，它们在低矮的植物间穿行寻找种子和昆虫。最小的食草恐龙反而有最长的拉丁文名字Micropachycephalosaurus（微肿头龙），名字最短的恐龙是敏迷龙（Minmi）。

利爪

镰刀龙总是用它们最长的利爪捕捉猎物；恐爪龙后足上可怕的爪与现代角雕的爪类似。

现代爪雕
爪长13厘米

镰刀龙
爪长91厘米

恐爪龙
爪长13厘米

现代巴吉度猎犬
体长1.2米，高0.6米

迅猛龙
体长1.8米，高0.6米

一般的恐龙

虽然恐龙以身躯庞大著称，但它们并不都像地震龙或南方巨兽龙那么巨大。大多数恐龙的身材都相对较小，像迅猛龙只有现代的巴吉度猎犬那么大。

大和小

现在已知最大的食肉恐龙是南方巨兽龙，但它还是大不过食草的蜥脚类恐龙；而最长的蜥脚类恐龙是地震龙，大多数恐龙都比它小得多，最小的恐龙是小盗龙。

现代长颈鹿
高5.5米

10岁男孩
高1.4米

称量体重

今天陆地上最重的动物是非洲象，它们的体重与霸王龙差不多，远远大过许多像原角龙这样的小恐龙。但即使这样，非洲象的重量还是远远小于像阿根廷龙这样的食草恐龙。

15头原角龙 = 1头非洲象
每头重400公斤 重6吨

1头霸王龙 = 1头非洲象
重6吨 重6吨

1头阿根廷龙 = 17头非洲象
重100吨 每头重6吨

食肉龙和食草龙

像在任何其他的食物链中一样，食草恐龙的数量要多于食肉恐龙的数量。在所有已发现的恐龙化石中，65%是食草龙。如果我们能真正地数一下当时恐龙的数量，那么食草恐龙占的比例可能还会更大。

食草类恐龙占65%　食肉类恐龙占35%

最长的恐龙

地震龙，长45米，肩膀处高5.5米。

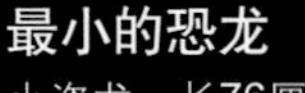

最小的恐龙

小盗龙，长76厘米，高25厘米。

最大的食肉恐龙

南方巨兽龙，长14米，肩膀处高3.6米

恐龙的智力

迅猛龙是最聪明的恐龙之一，它比鳄鱼要聪明得多，但仍无法与鸟类和哺乳类动物相比。

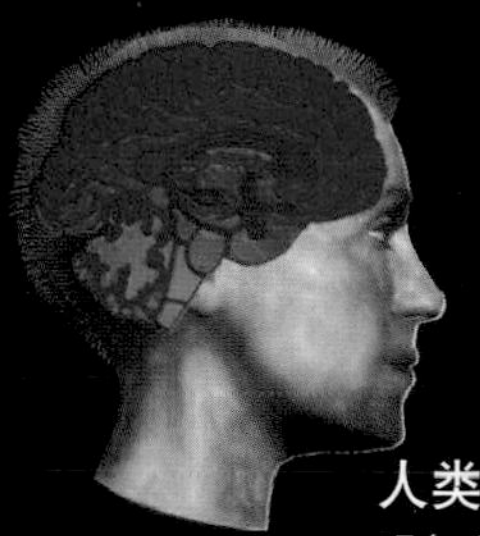

人类

现知所有生物中智力最高的物种。

迅猛龙

除了伤齿龙之外，它比其他大多数恐龙的智力都要高。

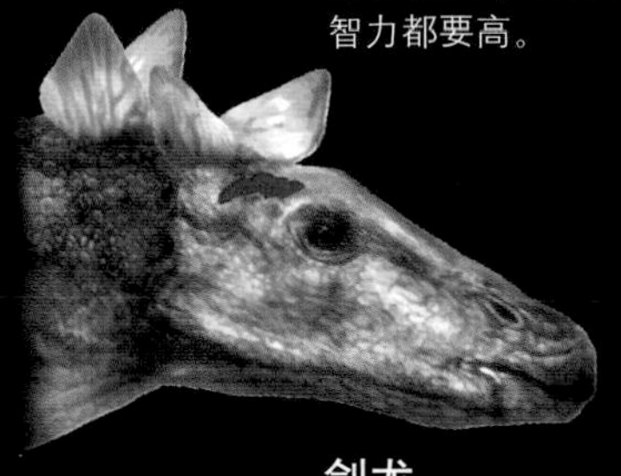

剑龙

最笨的恐龙之一，低智商的食草动物。

智力水平

恐龙的智商可以通过比较其脑容量相对身体的比例来测算。最聪明的恐龙是白垩纪晚期一些奔跑迅速的小型食肉恐龙，比如伤齿龙，它们比鳄鱼聪明得多，智力水平相当于今天的鸵鸟；食草恐龙的智商相对较低。

从骨头到岩石
化石

我们通过化石了解恐龙的一切，但遗憾的是恐龙化石十分稀有。死亡的恐龙必须在腐烂或被吃掉之前迅速被埋葬，才有可能形成化石。如果恐龙死在河边、湖边或海边浅滩上，它的身体会很快被淤泥或流沙覆盖，身上的肉逐渐腐烂，只有坚硬的骨头和牙齿能保留下来形成化石。有时恐龙也会被洪水或泥石流埋葬，这样形成的化石上有可能会留下皮肤或羽毛的痕迹。只有在十分偶然的情况下，我们才会见到经过细菌作用而保存下来的内脏化石，甚至还会发现恐龙脚印或粪便形成的化石。

缠斗

在大约7000万年前的蒙古境内，一头迅猛龙正与一头原角龙争斗。一座沙丘突然倒塌，将它们杀死并埋在沙下。

7000万年前

巨大而潮湿的沙丘倒塌，将缠斗着的两头恐龙埋在一起。它们的肉和器官都已腐烂，但纠缠在一起的骨骼保留了下来。

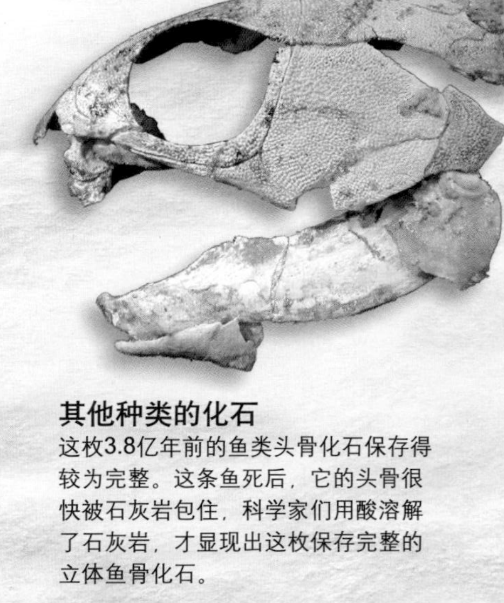

其他种类的化石

这枚3.8亿年前的鱼类头骨化石保存得较为完整。这条鱼死后，它的头骨很快被石灰岩包住，科学家们用酸溶解了石灰岩，才显现出这枚保存完整的立体鱼骨化石。

4000万年前

骨头被压在了数层岩石之下，地下水中的化学物质将骨头变成矿石，矿石又演变成化石。

2万年前

地球的地壳运动以及地表上的冰川世纪共同造就了新的山脉，化石所在的岩层也被挤到了表层。

今天

风和水的外部作用溶蚀了地表的岩石，化石由此显现出来。人们开始一点点谨慎而细致地将化石从岩石中清理出来。

其他解释

也有可能这两头恐龙在不同地点死亡并被风干，一次洪水将两具尸体冲到一起，迅猛龙的爪子正好深深地陷入原角龙的胸骨里。

解读线索

我们根据化石提供的线索研究恐龙，这些曾经长有肌肉的骨骼告诉我们恐龙的长相和它们各处关节的运动情况；足迹化石告诉我们它们奔跑的速度和活动范围；而皮肤化石则向我们显示了哪些恐龙身上有骨板、哪些有羽毛、哪些有类似爬行动物的皮肤；巢穴和卵更为我们了解恐龙如何养育后代提供了线索。其他一起保存下来的化石，比如植物化石等，还为我们还原当时的自然环境提供了帮助。

粪便化石
粪便化石中残留的植物和动物残渣告诉我们恐龙的饮食习惯。

肉质鳍
后背上一条软组织组成的褶皱，由脊柱骨支撑。

化石原型
这是一种被命名为莱昂纳多的短冠龙化石，它由一名化石业余爱好者于2000年在美国蒙大拿州附近发现。第二年夏天，这些化石周围的岩石也被小心地切割下来，带走研究。

这是莱昂纳多的骨骼示意图，这种示意图在科学家们介绍化石发现时经常被用到。

肌肉化石
这些保存下来的肌肉和相互连接的骨头向我们展示了莱昂纳多的四肢是如何工作的。

足迹化石
石化的足迹告诉我们恐龙大概的身躯大小和体重；足迹之间的距离显示了它们是在行走还是奔跑，并且速度有多快。

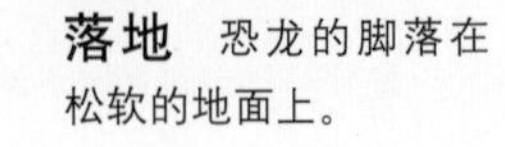

❶ **落地** 恐龙的脚落在松软的地面上。

❷ **踩踏** 脚深深地陷入地面。

❸ **抬脚** 踏地而起，留下一个很深的痕迹。

脚印 随着松软的地表逐渐变硬，痕迹也慢慢石化。

重塑莱昂纳多

短冠龙莱昂纳多是一具恐龙木乃伊，其中90%的骨骼都由石化的软组织覆盖，包含了它的皮肤、肌肉组织、舌头、内脏和肉趾等组织的化石。胃中已经石化的植物显示了它最后一餐的构成。

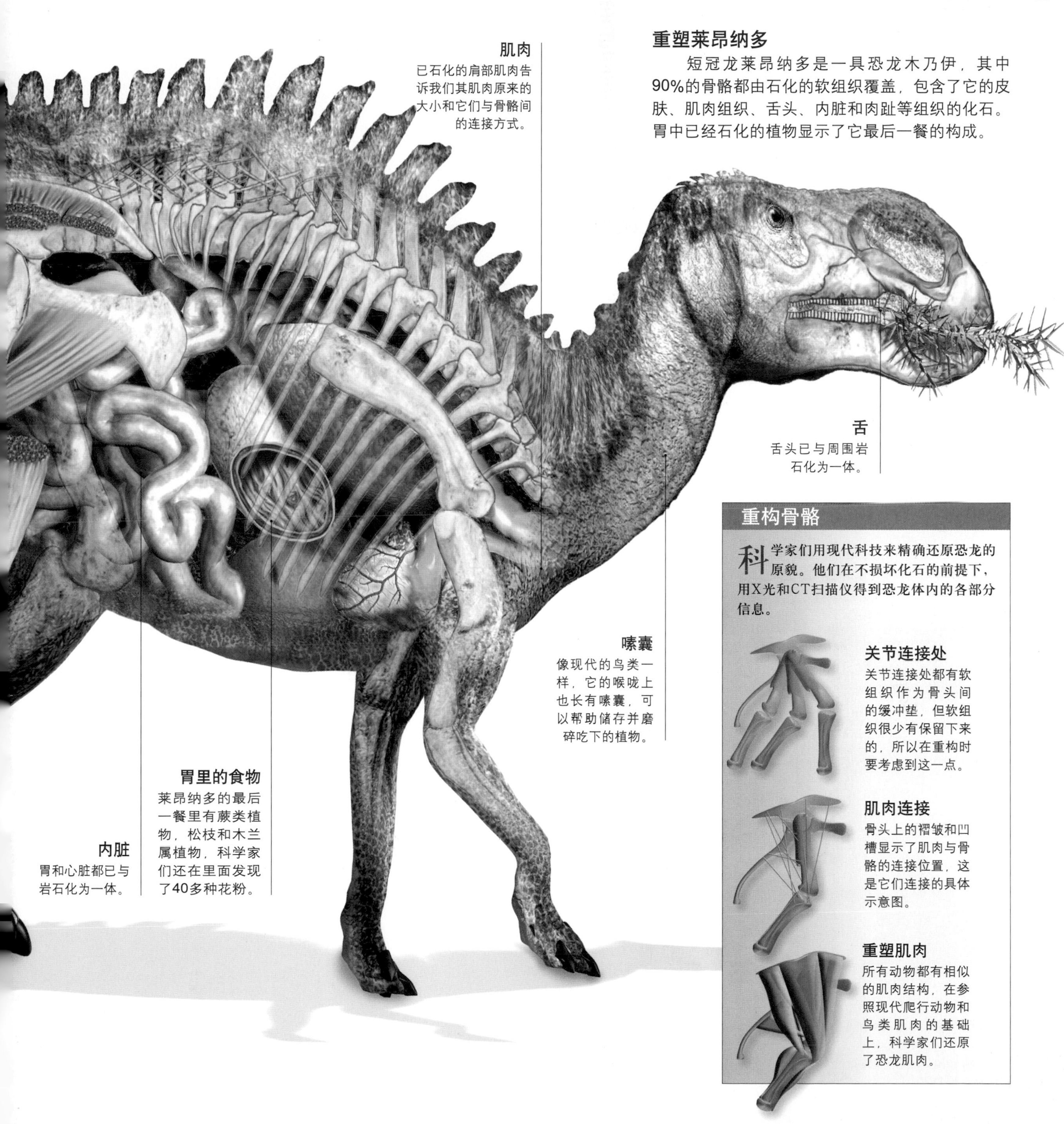

重构骨骼

科学家们用现代科技来精确还原恐龙的原貌。他们在不损坏化石的前提下，用X光和CT扫描仪得到恐龙体内的各部分信息。

恐龙 发现者

古生物学者为了还原远古的生命和环境而研究化石，他们在原野上寻找并发掘化石，再带回去用显微镜、X光等现代技术进行研究。他们的工作不仅包括撰写有关化石重要性的报告，还包括帮助博物馆准备各种化石展，以及为相关的纪录片和书籍提供资料。为了找到化石，古生物学家要研究特定地区的地图，他们将重点放在那些可能埋有化石的地区，确定地点后再组织科考队外出寻找发掘。

不断变化的观点

最早发现的是禽龙的骨骼化石。自1822年以来，人们对其骨骼的诠释随着认识不断加深而发生着变化。

龙 在19世纪80年代末的版本中，禽龙看起来像一头神话中的猛龙。

鬣蜥 科学家们最早还原的禽龙像一只巨大的鬣蜥，因为它们的牙齿十分相似。

爬行动物 20世纪最普遍的一个版本将禽龙还原为一种爬行动物，尾巴拖在地上行走。

禽龙 现代的重构工作是在研究过禽龙的骨骼、肌肉和韧带的基础上做出的。这个版本中，禽龙四肢着地行走，尾巴悬在空中。

骨骼模型

制作恐龙骨骼模型时，首先要用硅橡胶做出模子，然后再在模子中灌入树脂或玻璃纤维。骨骼模型要比实物更轻，人们在上面钻孔，以便组合安装。

悬挂模型

因为恐龙的身体庞大，它的骨骼需要来自上部的提拉才能悬挂定位。工作人员常从天花板垂下钢索，帮助固定恐龙的骨架。

逼真的复制品

多数在博物馆展出的恐龙骨骼都是复制品，这样真正的化石就可以用于科学研究或得到妥善的保存。但是也有一些博物馆选择展出真实的化石，那些丢失的骨头可以用相近恐龙身上的骨头替代。

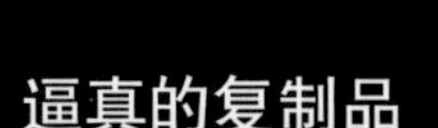

装配金属线支架

为了骨架能够站起来，需要有牢固的金属线支架支撑起恐龙巨大的骨骼或骨骼模型。

焊接模型

为了做出一个栩栩如生的姿势，固定骨架的金属线支架在骨头到位后还需焊接加固。

从野外到博物馆

骨头被小心发掘出来后，科学家们再把它们封在塑料外壳里，以防在运往博物馆的途中发生损坏。

移除塑料外壳

在塑料外壳被取下后，科学家们还要用电钻或者电刷细心地清理这些骨头。

拼装骨头

人们依照发现时的原位置把骨头重新放回，损坏的骨头则用胶水或树脂加固。

组装

根据解剖现代爬行类和鸟类得到的知识，恐龙的骨头被精心地组装在一起，关节处允许的移动范围帮助摆出最佳的展示姿势。

地理位置图

这张地图显示了每种恐龙的具体分布位置。请在每张地图上寻找这样的红点标识。

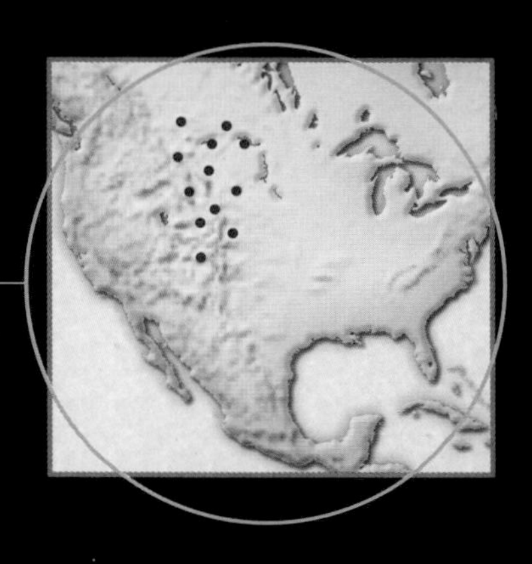

三角龙：资料

拉丁文名称： Triceratops

拉丁文名称含义： 长着三支角的脸

时期： 白垩纪晚期

分类： 鸟臀目

食物： 植物

身体尺寸： 长9米，高3米

重量： 5.4吨

发现者和发现时间： 1888年由约翰·贝尔·哈撤发现

化石发现地： 美国西部和加拿大

信息快览： 触手可及的信息快览提供每种恐龙的核心信息。

时间轴

这个时间轴显示了每种恐龙大致的生活年代，它包括了从三叠纪到白垩纪的三个时期。

聚焦

2.45亿年前
三叠纪
2.08亿年前
侏罗纪
1.5亿年前
1.44亿年前
白垩纪
6 500万年前

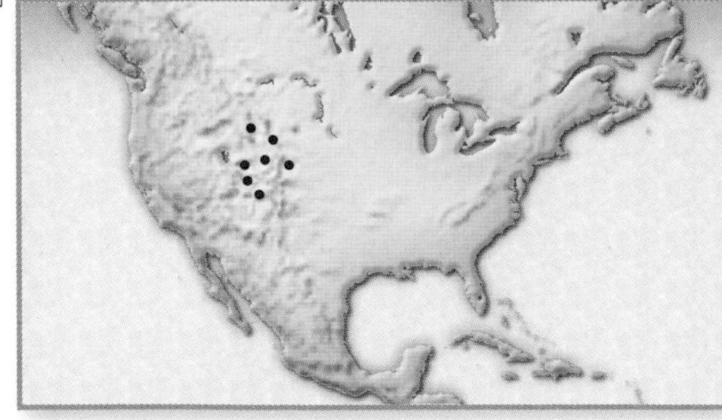

异特龙：资料

拉丁文名称：Allosaurus
拉丁文名称含义：奇异的蜥蜴
时期：侏罗纪早期
分类：兽脚类
食物：食肉
身体尺寸：长12米；高3米
重量：1吨～1.7吨
发现者和发现时间：1869年由费迪南德 · 海登博士发现
化石发现地：美国西部

异特龙
噩梦般的恐龙

异特龙是侏罗纪晚期北美洲最大、最常见的食肉恐龙之一，它们是优秀的猎手，有许多显著的特征：头骨很轻，四肢强壮，锯齿状的牙齿大而弯曲。在它们周围生活的巨型蜥脚类恐龙，比如梁龙等，都是异特龙的美食。为了猎取巨大的动物，异特龙觅食时常结群出动，眼睛上部的小角可能会在求偶的争斗中使用。它们的一些早期化石被称为“噩梦般的龙”，现在这个名字已不再使用。

尾巴
长长的尾巴可以有效平衡身体前部的重量。

后腿
强壮的后腿可以使异特龙跳到猎物的背上，攻击对方的脊椎。

致命的巨嘴
在异特龙的下颌骨中间有一个灵活的连接处，这让它的颌骨可以向外展开，张大嘴给出致命的一击。

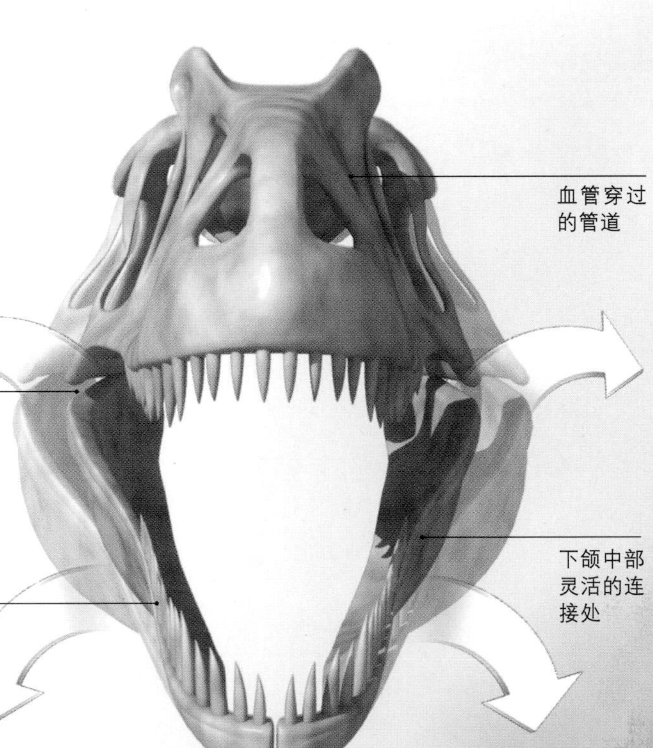

比较大小
异特龙的高度是一个10岁男孩身高的4倍，体长是他身高的9倍。

侏罗纪的群体攻击者

异特龙生活在1.5亿年前的北美丛林中，虽然它们可以独自猎取小型的食草动物，但在进攻像梁龙这样体积庞大的恐龙时，它们还是会成群出动。进攻时，成群的异特龙会一起用牙齿和爪子重创猎物，直到它们倒下为止。

适于咬噬的头部结构
头部很大但并不沉重，可以轻松快速地张开大嘴给出致命一击。
危险区域
上下颌长满了牙齿且十分灵活。攻击猎物时，它们的牙齿会像锯子一样撕咬猎物的肉。
前肢
健壮的前肢可以牢牢把住猎物，然后它们再用牙和爪子重创对方。
弯龙
侏罗纪晚期的一种大型食草恐龙，它们很可能是异特龙最喜欢的食物之一。

2.45亿年前
三叠纪
2.08亿年前
侏罗纪
1.56亿年前
1.5亿年前
1.44亿年前
白垩纪
6 500万年前

始祖鸟：资料

拉丁文名称： Archaeopteryx
拉丁文名称含义： 古老的羽翼
时期： 侏罗纪晚期
分类： 兽脚类
食物： 食肉（可能主要是昆虫和鱼）
身体尺寸： 长60厘米；高20厘米
重量： 200克
发现者和发现时间： 1861年由德国的采石场工人发现
化石发现地： 德国南部

始祖鸟

古老的羽翼

始祖鸟一直被尊崇为鸟类的祖先。它们的化石保留了翅膀和羽毛的痕迹，但是骨骼却显示出它们与其他兽脚类恐龙并没有很大区别。始祖鸟有像鸟一样的头，嘴里布满长而细小的牙齿，眼窝较深，脑颅较大，骨头中空轻盈，体重很轻，非常符合鸟类的特征。它们的前肢和尾巴上长满了类似现代鸟类的羽毛，翅膀由前肢和向外伸出的指骨组成，后面还有一条类似爬行动物的尾巴。始祖鸟生活在海边浅滩，以昆虫和鱼为食。

鸟类大脑
始祖鸟的大脑比其他兽脚类恐龙的大脑要大，这有助于它们在飞行时处理更多的信息。

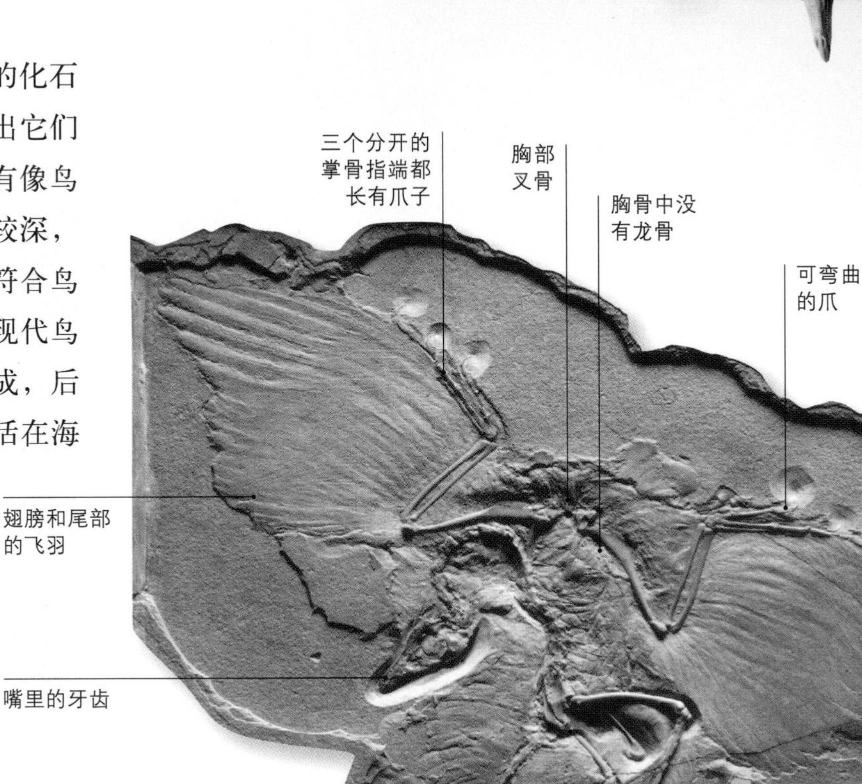

羽毛化石
这枚骨骼化石显示了始祖鸟翅膀和尾部上都长有羽毛的痕迹，虽然它乍看起来很像鸟，但骨骼特征更接近恐龙。

比较大小
始祖鸟只比鸽子大一点，与一个10岁男孩相比要小得多。

地面捕食
始祖鸟一生中的大部分时间都生活在地面，以捕食昆虫为食。

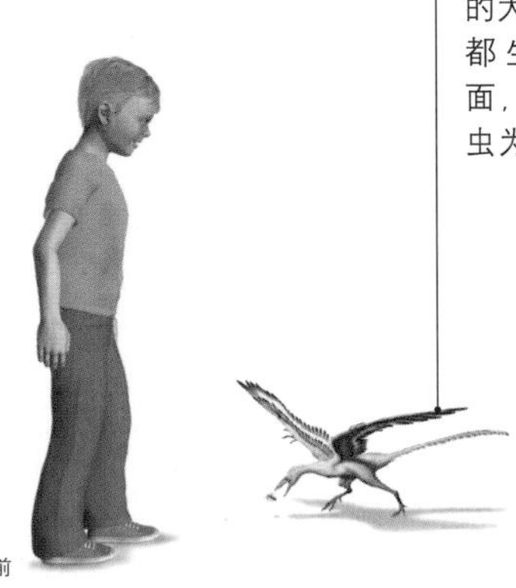

筑巢

像其他恐龙一样，始祖鸟也筑巢来保护自己的卵，它们通常把巢建在高高的树顶。

羽毛和飞行

始祖鸟一生的大部分时间都生活在陆地上。偶尔飞翔的时候，它们会边跑边扇动翅膀来获得足够的速度起飞。它们可能还无法进行长距离的飞行，而只能滑翔。

爬树

始祖鸟会先用翅膀上的爪子爬到树上，之后再从高处滑翔而下。

振翅飞行

始祖鸟在追逐昆虫时会鼓起翅膀做短途飞行。

2.45亿年前

三叠纪

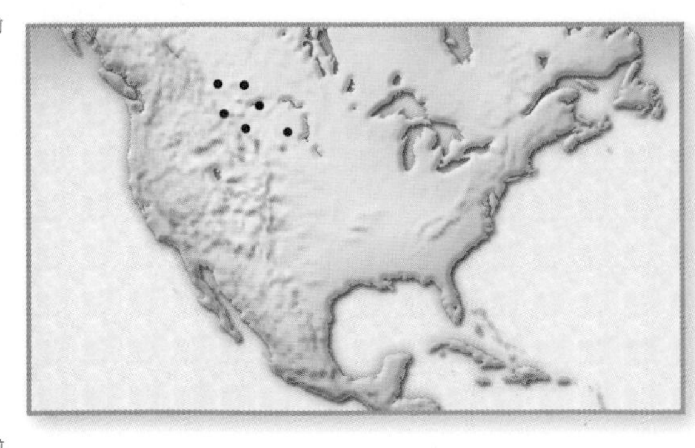

霸王龙：资料

拉丁文名称：Tyrannosaurus	
拉丁文名称含义：暴君蜥蜴	
时期：白垩纪晚期	
分类：兽脚类	
食物：食肉	
身体尺寸：长13米；高5米	
重量：5吨	
发现者和发现时间：1905年由亨利·奥斯本发现	
化石发现地：美国北部和加拿大南部	

吃腐肉的帝王

为了生存，霸王龙在四处捕猎的同时也会以动物的腐肉为食。右图中，一头霸王龙正在驱赶一群伤齿龙，以独享埃德蒙顿龙的尸体。

2.08亿年前

霸王龙

恐龙中的暴君

侏罗纪

霸王龙体长可达13米，在很长一段时间里都被认为是世界上最大的食肉恐龙。它们的视野广阔，嘴中长有足以致命的锯齿状牙齿，后肢强壮长有利爪，前肢短小还生有两根手指。霸王龙捕食像大鸭嘴龙这样的活猎物，有时也用灵敏的嗅觉寻找腐肉来吃。研究表明霸王龙奔跑的速度可达17千米／小时，足以捕捉过往的猎物或偷袭移动缓慢的三角龙群。

生长高峰期

14至18岁是霸王龙生长发育的高峰期，它们在大约20岁时发育到最大体型。霸王龙的平均寿命一般为30年。

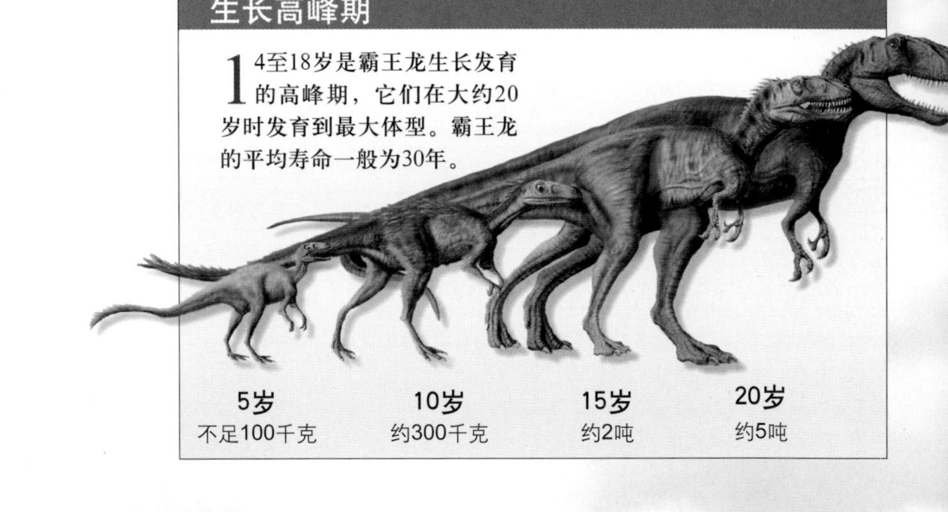

1.44亿年前

碎骨机

霸王龙强劲的嘴部肌肉帮助它们轻松咬碎猎物的骨头。在它的粪便化石中，我们找到了一些小块的动物骨头碎片。

比较大小

已发掘出最大的霸王龙头骨长1.4米，相当于一个10岁男孩的身高。

白垩纪

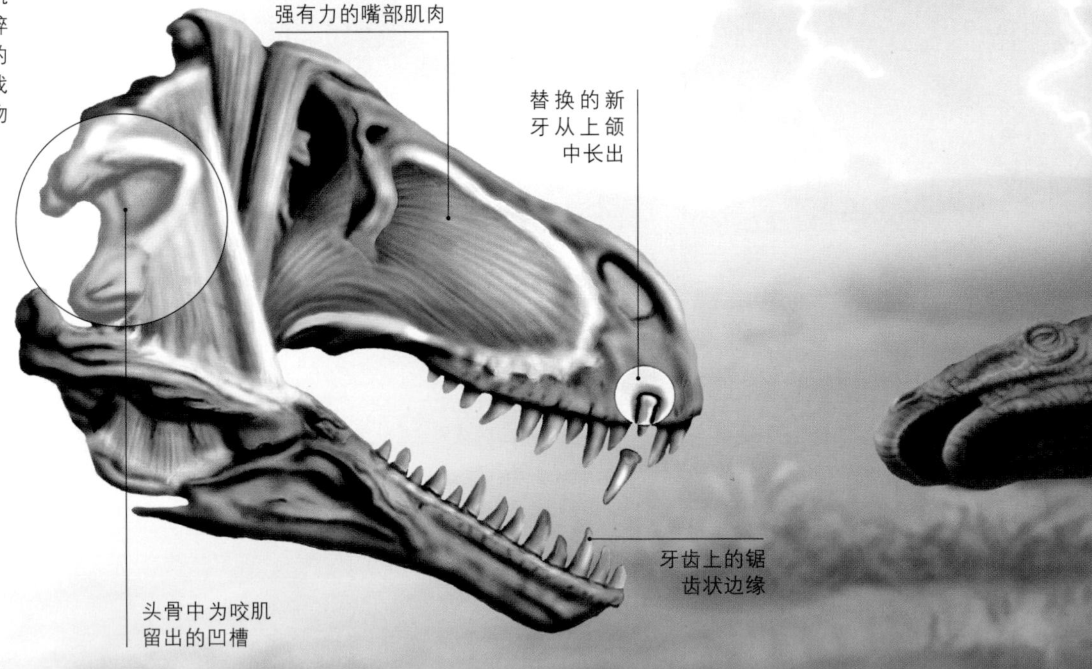

7000万年前

6500万年前

眼睛
面向前方的眼睛提供给霸王龙一个立体的视野，使它们能够准确判断自己和猎物之间的距离。

鼻孔
鼻孔很大，鼻腔里特殊的骨骼结构可以防止奔跑之后身体失水过多。

牙齿
牙齿上的锯齿状边缘用于撕裂猎物的皮肉，强有力的嘴部肌肉可以轻松咬碎猎物的骨头。

后腿
后腿强健，但还不足以保证在全速奔跑时不会摔倒受伤。

前肢
前肢短小，只有两根手指，在实际中并无太大作用。

伤齿龙
这种长约3米的兽脚类恐龙智商较高，主要以腐肉为食，常结群出猎觅食。

埃德蒙顿龙
一种大型的食草鸭嘴龙。多群居，以抵御食肉者的攻击。

2.45亿年前

三叠纪

2.08亿年前

侏罗纪

1.44亿年前

白垩纪

6700万年前

6500万年前

似鸵龙：资料

拉丁文名称：Struthiomimus

拉丁文名称含义：酷似鸵鸟的

时期：白垩纪晚期

分类：兽脚类

食物：杂食（小动物、昆虫和植物）

身体尺寸：长4米；高2米

重量：150千克

发现者和发现时间：1902年由劳伦斯 · 兰博发现

化石发现地：加拿大南部

似鸵龙
鸵鸟的模板

似鸵龙是一种迅捷的兽脚类恐龙，脖子很长，小头，大眼睛，前肢瘦小，后肢强而有力。它们没有锋利的牙齿或镰刀一样的爪子来抵御捕食者的进攻，所以只能依靠速度来躲避袭击，似鸵龙的奔跑速度可达每小时50千米。它的嘴很小而且没有牙齿，人们由此推测它们主要以昆虫、小蜥蜴和其他恐龙的卵为食。在其体内发现有帮助碾磨食物的胃石，这说明似鸵龙也吃植物和种子，前肢上弯曲的爪子还可以帮助它们抓取树枝上的树叶。

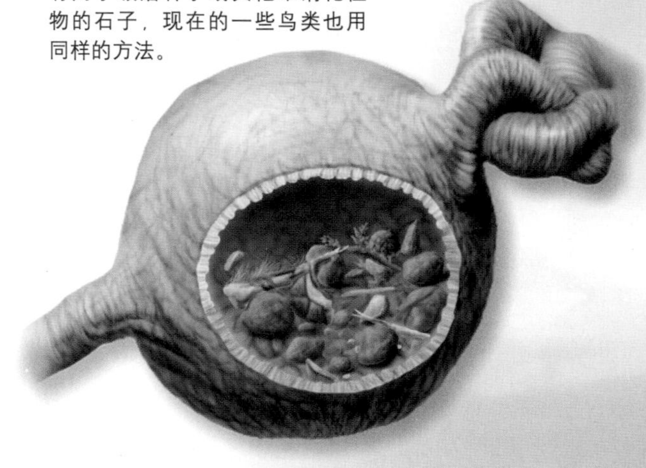

用于碾磨的石子

似鸵龙没有牙齿，但它们内脏里有用于碾磨种子或其他难消化植物的石子，现在的一些鸟类也用同样的方法。

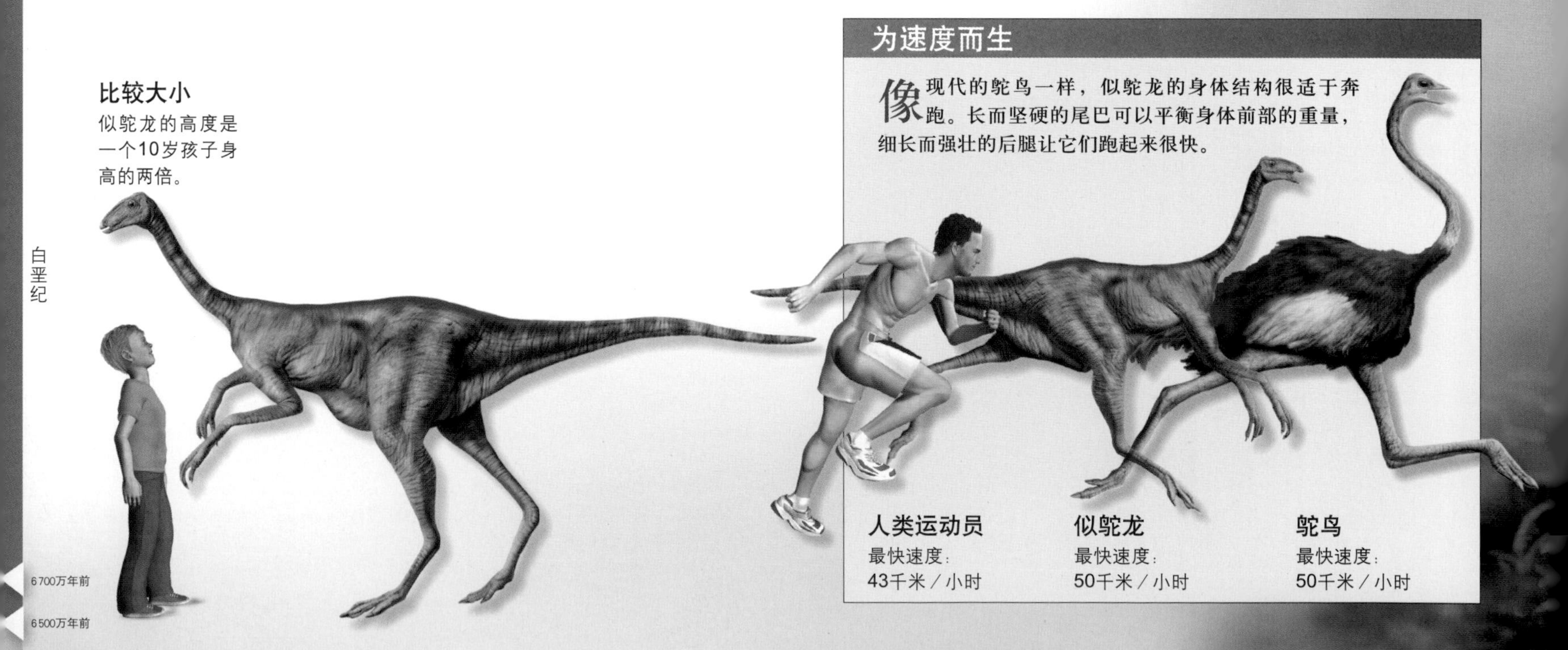

比较大小

似鸵龙的高度是一个10岁孩子身高的两倍。

为速度而生

像现代的鸵鸟一样，似鸵龙的身体结构很适于奔跑。长而坚硬的尾巴可以平衡身体前部的重量，细长而强壮的后腿让它们跑起来很快。

人类运动员
最快速度：
43千米／小时

似鸵龙
最快速度：
50千米／小时

鸵鸟
最快速度：
50千米／小时

机会主义者
似鸵龙的生活习性很像今天的鸵鸟。它们依靠速度躲避捕食者的袭击，食物范围也十分广泛，包括小动物、昆虫、卵和植物等。
灵活的脖子
长而灵活的脖子不仅能让似鸵龙向后看，而且还能让它们将头伸到角落或缝隙里。
裸露的皮肤
它们的皮肤很可能与鹈鹕龙的相似，都长有鳞片状的光滑表皮。
毛茸茸的幼龙
大多数兽脚类幼龙的体表都长有一层绒毛。
弯曲的爪子
长而弯曲的爪子能够抓扯植物，或者刨开土壤寻找猎物。
笑不露齿
它们没有牙齿，所以只能以吞食小动物或植物为食。
猎物
似鸵龙吃任何它能抓得到的东西，有时会抓食住在地洞里的小型哺乳类动物。

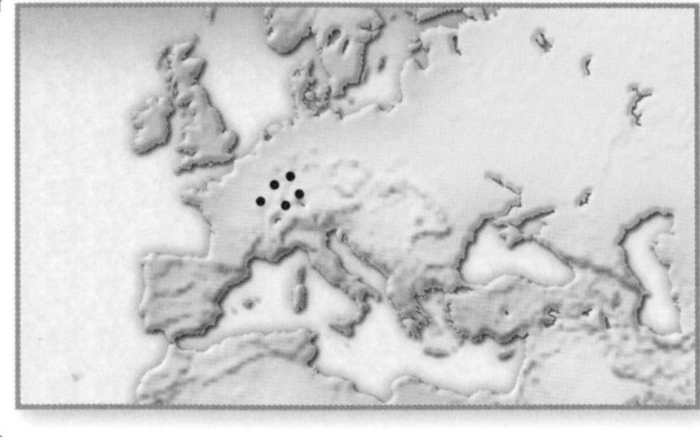

板龙：资料

拉丁文名称：Plateosaurus
拉丁文名称含义：扁平的蜥蜴
时期：三叠纪晚期
分类：蜥脚类
食物：植物
身体尺寸：长10米；高3米
重量：4吨
发现者和发现时间：1837年由 海曼 · 冯 · 梅尔发现
化石发现地：德国、法国、瑞士

板龙

温和的大个子

板龙是最早出现的大型食草类恐龙之一，它们成群地生活在三叠纪晚期的欧洲。板龙的脖子很长，头很小，身体健壮，后腿强壮有力。它们长有能抓扯植物的短小前肢，以及长满锯齿边缘的叶片状牙齿。根据生长环境的不同，板龙的体长从5米～10米不等，它们用锋利的前爪和巨大的后肢抵御捕食者的攻击。板龙是发现最早也是最有名的三叠纪恐龙，它们很多的完整骨骼都是在德国发现的。

船桨状的骨盆
扁平的船桨状骨盆可以支撑起板龙用于消化植物的巨大内脏，同时也支撑着它们强有力的尾巴和腿部肌肉。

叶片状的牙齿
板龙的牙齿是叶片状的，两侧长有大块的锯齿状边缘，用来切断坚韧的植物。

比较大小
板龙的高度是一个10岁男孩身高的2倍，体长是其身高的6倍。

三叠纪的巨人
板龙是已知三叠纪时期最大的恐龙，但它们要比侏罗纪时代的许多大型蜥脚类恐龙矮小得多。

板龙 高10米，生活在三叠纪晚期的欧洲和格陵兰岛上。

腔骨龙 高3米，生活在三叠纪晚期的北美洲。

始盗龙 高1米，生活在三叠纪中晚期的阿根廷。

群居生活
板龙一般以60～100头的数量群居而生，它们平时都是四肢着地活动，只有在吃树上的叶子和抵御食肉者袭击时才抬起前肢。
头部
头很小，嘴中长有适合咀嚼松类植物的叶片状牙齿。
腮囊
腮囊用来咀嚼和加工板龙大口吞吃的植物。
四肢着地
它们的尾巴长而有力，平衡了四肢着地行走时身体前部的重量。
后腿
当用前爪保护自己的时候，板龙会抬起身子只用强壮的后腿走路。
用于抓握的前肢
当后腿行走时，它们可以空出前肢来抓住植物的枝干和叶子。
前爪
前爪十分锋利，可用来防卫。

2.45亿年前
三叠纪
2.08亿年前
侏罗纪
1.5亿年前
1.44亿年前
白垩纪
6 500万年前

梁龙：资料

拉丁文名称：Diplodocus
拉丁文名称含义：双梁（指脊椎骨而言）
时期：侏罗纪晚期
分类：蜥脚类
食物：植物
身体尺寸：长27米；高5米
重量：10～12吨
发现者和发现时间：1878年由查尔斯 · 马什发现
化石发现地：美国（怀俄明、科罗拉多、犹他州）

挥舞着的尾巴

科学家们相信梁龙的尾巴可以用来抽击来袭者，尾巴抽击产生的巨大声响还能够吓退进攻者。

梁龙

挥动着的骨鞭

梁龙是最长的恐龙之一。最初，人们认为它们在行走时，尾巴是拖在地上的；但在研究骨骼后发现，梁龙的尾巴有肌腱支撑，行走时尾巴一直抬在半空。它长长的脖子和尾巴上都由一节节短而宽的脊椎骨支撑，嘴很小，嘴前部有钉子一样的牙齿——这说明它也吃树上的叶子。它的肋骨是开放的，这样在进食时，胃部就有足够的空间容纳食物。当危险来袭，梁龙会用它大而锋利的爪子和长鞭一样的尾巴进行防御。

浮游的蜥脚类恐龙

有一组梁龙的足迹化石只显示出了它们前肢的脚印，这可能是它们在水中浮游时，只将前肢落在河床上以稳定自己的原因。

鳄鱼
它们偷袭猎物时，只将眼睛和鼻子露出水面。

梁龙
在水中时，水的浮力可以支撑起梁龙的身体和尾巴，它们主要依靠前肢向前移动。

震耳欲聋的声响
梁龙的尾巴可以像鞭子一样飞舞，飞快的舞动抽打产生巨大的声响，听起来很像炮声。

人字骨
这些位于尾巴底侧的小骨头可以保护血管和神经。

比较大小
梁龙的长度相当于二十个10岁男孩的身高。

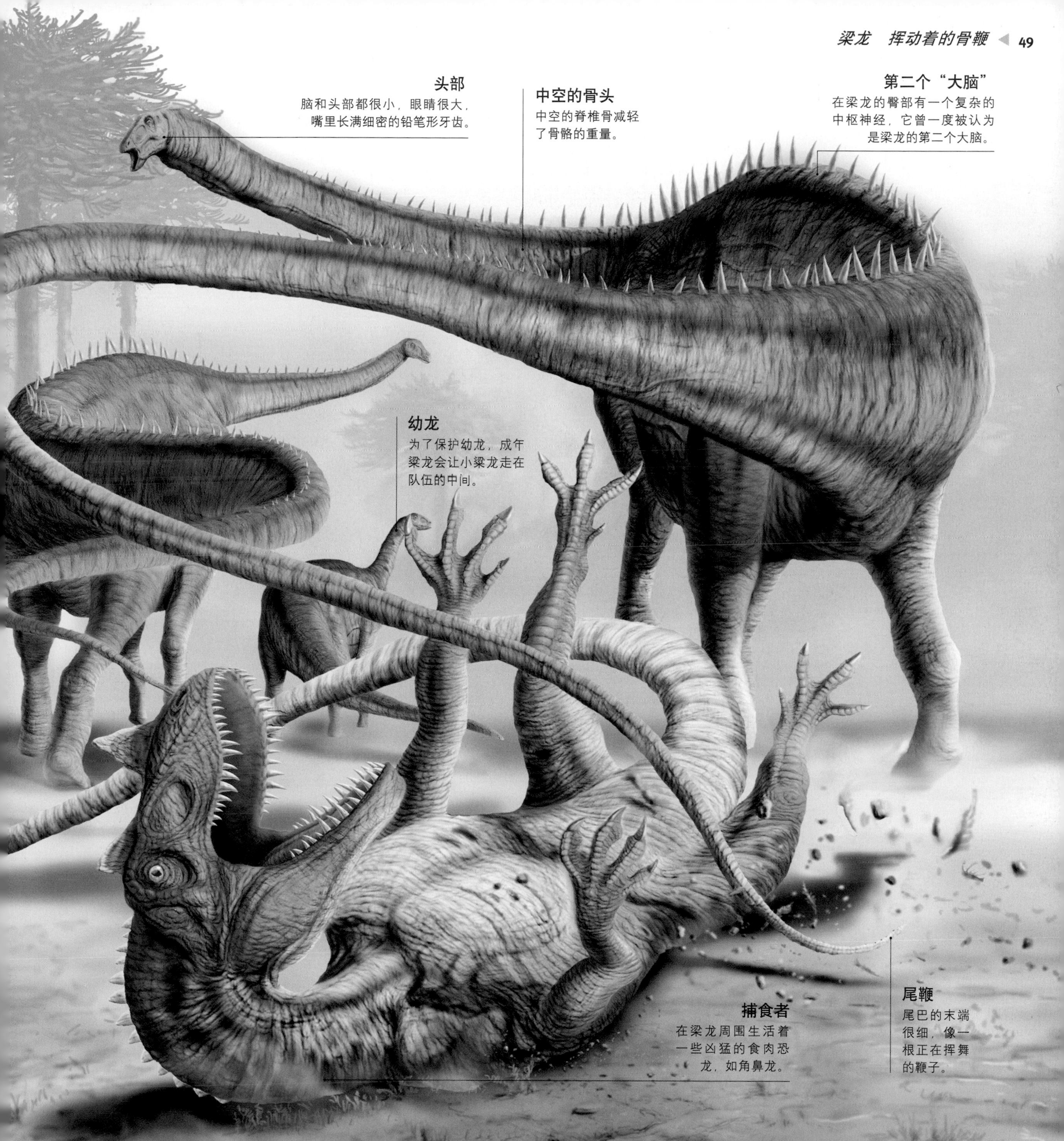
头部
脑和头部都很小，眼睛很大，
嘴里长满细密的铅笔形牙齿。
中空的骨头
中空的脊椎骨减轻
了骨骼的重量。
第二个“大脑”
在梁龙的臀部有一个复杂的
中枢神经，它曾一度被认为
是梁龙的第二个大脑。
幼龙
为了保护幼龙，成年
梁龙会让小梁龙走在
队伍的中间。
捕食者
在梁龙周围生活着
一些凶猛的食肉恐
龙，如角鼻龙。
尾鞭
尾巴的末端
很细，像一
根正在挥舞
的鞭子。

2.45亿年前

三叠纪

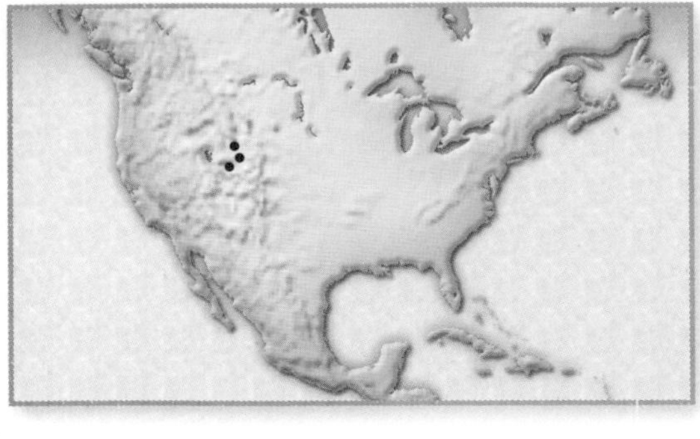

剑龙：资料

拉丁文名称：Stegosaurus

拉丁文名称含义：有屋顶的蜥蜴

时期：侏罗纪晚期

分类：鸟臀目

食物：植物，主要是蕨类

身体尺寸：长12米；高4～5米

重量：5.5吨

发现者和发现时间：1877年由奥赛内尔·查利斯·马什发现

化石发现地：美国（怀俄明、科罗拉多和犹他州）

多用途的骨板

剑龙背上的骨板有多种用途，如控制体温、辨认种群伙伴、或者在求偶时攻击对手。

2.08亿年前

剑龙

脊背上的骨板

侏罗纪

剑龙是侏罗纪的巨兽，背上有两排大而竖直的骨板，尾巴末端有四根致命的骨钉。它们的大脑是恐龙里面最小的——大概只有小狗的大脑那么大，所以在臀部附件还有一个复杂的中枢神经，帮助控制身体后半部分的活动。剑龙在行走时，会来回摇摆尾巴，用四根骨钉保护自己不受其他食肉类恐龙攻击。剑龙嘴的前部没有牙齿，只有一个喙来咬食植物。人们在研究化石后发现，剑龙的叶片状牙齿并没有太多磨损，说明它们在进食蕨类植物时并不咀嚼。

1.5亿年前

1.44亿年前

比较大小

成年剑龙的长度是一个10岁男孩身高的10倍。

白垩纪

肌肉

尾部强健的肌肉控制着沉重的骨钉。

骨头

尾部坚固的脊椎骨支撑着骨板和骨钉。

6500万年前

骨核

骨核与脊椎骨相接，支撑着整个骨板。

血管

血管在骨板中交叉相连，帮助剑龙调节体温。

控制体温

巨大的骨板内部有许多交叉的血管，剑龙有时将骨板面向阳光，有时将骨板冲向凉风，以这样的方式调节自己的体温。

表皮

一层薄薄的皮肤覆盖在骨板表面，颜色十分鲜艳。

身份确认

剑龙骨板的颜色各不相同，它们根据这些颜色确认自己的伙伴，如这两头钉状龙和驼氏龙。

骨钉

尾部末端上长有四根骨钉，每根长0.5米～0.9米。

保护功能

剑龙后背上的骨板可以使它们在攻击者的眼中显得更大、更有威慑力，其实这些骨板很脆弱，不能在战斗中起到实际作用。

展示

骨板中的血管密集，剑龙可以变换它们的颜色以吸引配偶。

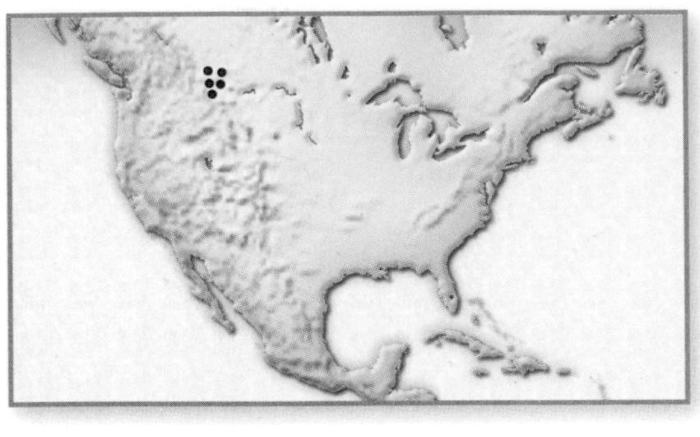

副栉龙：资料

拉丁文名称： Parasaurolophus

拉丁文名称含义： 一边隆起的蜥蜴（指它隆起的牙齿）

时期： 白垩纪晚期

分类： 鸟脚亚目

食物： 植物

身体尺寸： 长10.5米；高4米

重量： 4吨

发现者和发现时间： 1921年由勒维 · 斯特恩伯格发现

化石发现地： 美国（蒙大拿、新墨西哥州）和加拿大（艾伯塔）

副栉龙
奇怪的脑袋

副栉龙是一种大型的鸭嘴龙。它们的头骨后面有一个很大的骨冠，起初人们都以为这是一个类似通气管的呼吸组织，后来的研究表明这个部分比较复杂：骨冠的一端封闭，内部中空，另一端与鼻腔相连，看上去更像是一个发声系统。副栉龙是食草恐龙，嘴里长有数百颗细密的小牙齿，它的嘴部前端是一个角状的喙。

脑壳
鸭嘴龙的头上通常都有奇怪的冠，它们是凸起或中空的管状结构，可能都是为了吸引配偶的注意。

蜥嵴龙
头上有一处短而尖的骨质凸起，肤色鲜艳。

冠龙
头上有一块半圆形的扁平冠，可以用来吸引配偶。

兰伯龙
头上有一个形状奇怪的冠，它们的脊椎骨很短。

比较大小
副栉龙巨大的头冠长1.4米，相当于一个10岁男孩的身高。

看护巢穴

像其他鸭嘴龙一样，雌性副栉龙一直照看自己的幼龙，直到幼龙可以独自行走。这点很像它们的亲戚——慈母龙。

幼龙 幼龙头上的骨冠还没有完全发育。

雌龙 雌龙的头骨和雄性副栉龙差不多大，但骨冠要小得多。

休息 在进食或保护巢穴时，雌龙都是四足蜷曲卧下的。

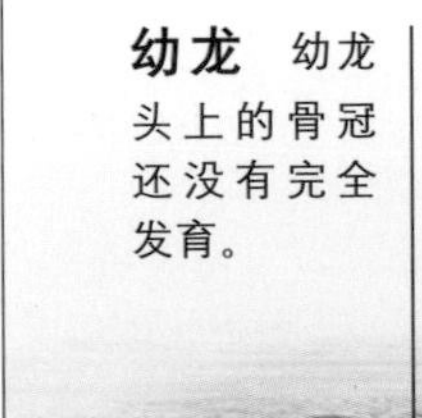

2.45亿年前
三叠纪
2.08亿年前
侏罗纪
1.44亿年前
白垩纪
8 300万年前
6 500万年前

发出警告

副栉龙生活在一个危险的时代，与很多大型的食肉恐龙，如霸王龙等，一起生活在白垩纪晚期。副栉龙以群居的方式来保护自己，当食肉者接近时，它们会用独特的骨冠向同伴发出预警信号。

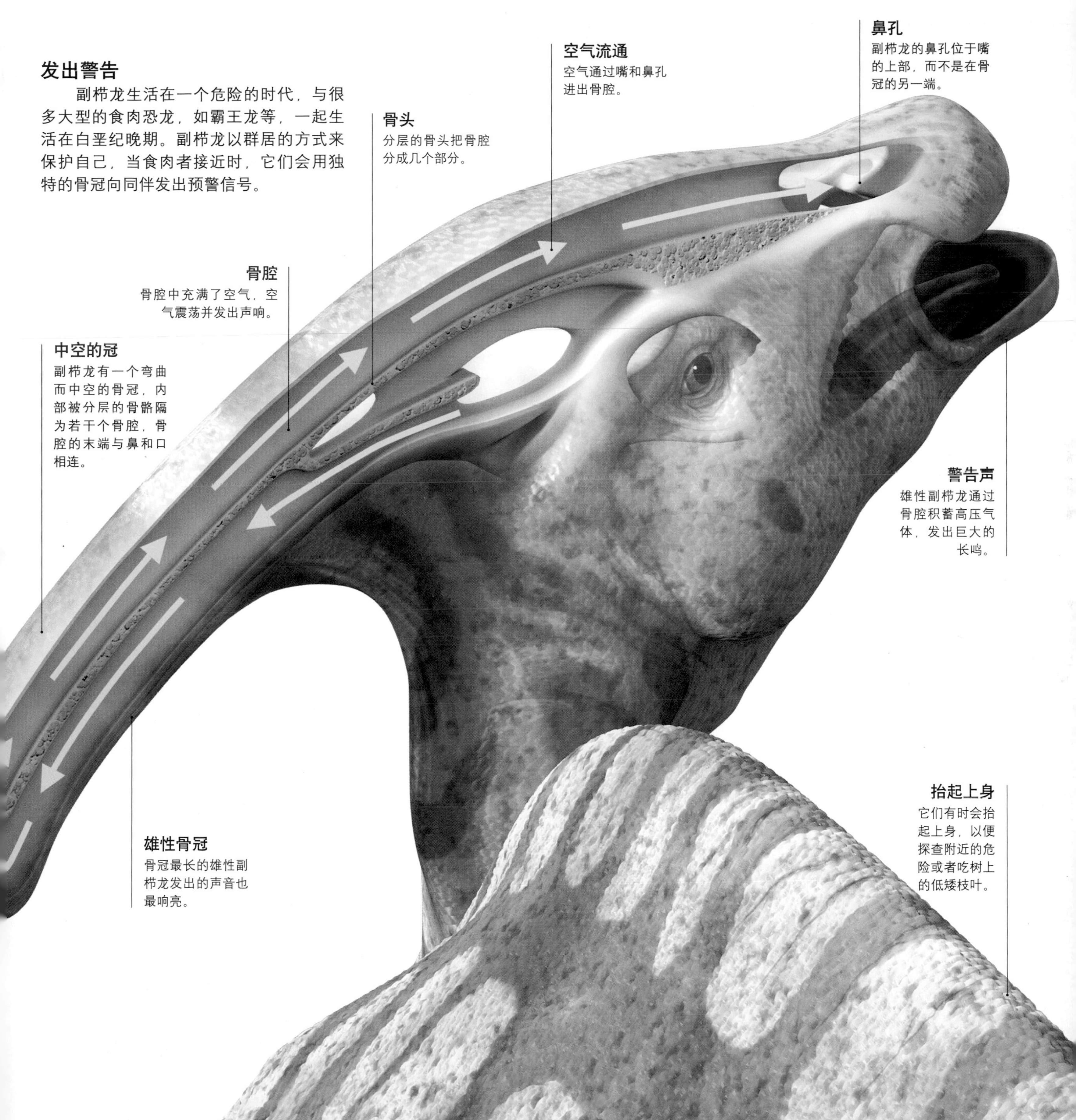

2.45亿年前

三叠纪

2.08亿年前

侏罗纪

1.44亿年前

白垩纪

7300万年前

6500万年前

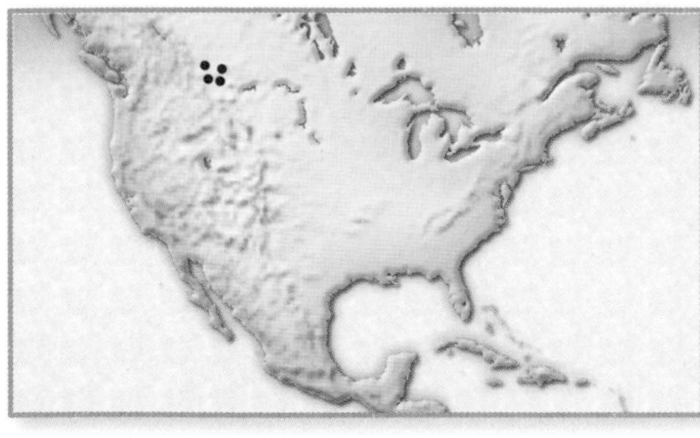

包头龙：资料

拉丁文名称： Euoplocephalus

拉丁文名称含义： 全副武装的头

时期： 白垩纪晚期

分类： 鸟臀目

食物： 植物

身体尺寸： 长6米；高2米

重量： 2.2吨

发现者和发现时间： 1902年由劳伦斯 · 兰博发现

化石发现地： 美国（蒙大拿）和加拿大（艾伯塔）

甲龙

有尾锤，甲龙亚目中最后、也是最大的一种；生活在白垩纪晚期的北美洲。

包头龙
致命的尾巴

包头龙的体型就像一辆坦克。它们的肩、背和头的四周都长有骨板和危险的骨钉，坚硬的尾巴末端还长着连在一起的两半骨锤，甚至连眼皮都有骨质层保护。尽管这样，包头龙仍然像今天的犀牛一样灵活。它们的腹部是身上装甲的唯一弱点，对手在进攻时会专门攻击此处。复杂的鼻腔结构说明包头龙的嗅觉十分灵敏，不够强韧的牙齿说明它们主要以新鲜的植物为食，灵活的四肢和锋利的爪子还可以刨土寻找食物。

背部护甲

后背上有很厚的骨板和锋利的骨钉，最大的骨钉都分布在肩部周围。

尾部肌肉

强健的肌肉与尾部骨骼相连，使尾锤可以来回舞动。

柔软的腹部

腹部没有骨板保护，是最脆弱的地方。

比较大小

包头龙比一个10岁男孩要高一些，体长则是他的4倍。

尾锤

包头龙快速地挥舞着尾锤，抽打攻击者脆弱的腿和脚踝。

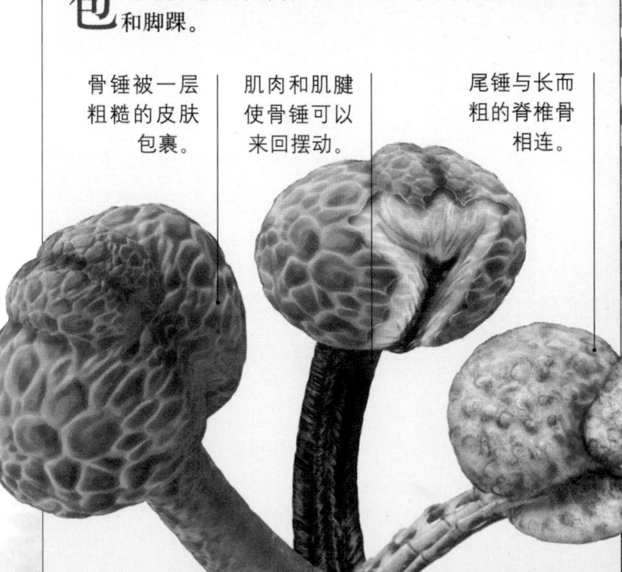

骨锤被一层粗糙的皮肤包裹。

肌肉和肌腱使骨锤可以来回摆动。

尾锤与长而粗的脊椎骨相连。

防御专家

在每个大洲上几乎都发现了全副武装的包头龙，包括南极洲在内。它们防御的诀窍在于骨质的装甲和尾部的骨锤。

达斯布雷龙

这种大型的食肉恐龙身长可达12米，生活在白垩纪晚期的北美洲。

敏迷龙

没有尾锤，尾部有骨钉，腹部长有鳞甲；生活在白垩纪早期的澳大利亚。

埃德蒙顿龙

没有尾锤，背上覆盖着骨板和骨钉；生活在白垩纪晚期的北美洲。

头上的角

包头龙脑袋后面长有短而粗壮的角，用来保护它们的脖子。

为防御而生

包头龙可能是群居动物，以植物的根和球茎为食。骨钉装甲和尾锤是它们防御食肉恐龙，如达斯布雷龙攻击的主要工具。

肿头龙：资料

拉丁文名称：Pachycephalosaurus
拉丁文名称含义：厚脑袋的蜥蜴
时期：白垩纪晚期
分类：鸟臀目
食物：植物
身体尺寸：长10.5米；高4米
重量：4吨
发现者和发现时间：1940年由威廉 · 威克利发现
化石发现地：美国（蒙大拿、怀俄明、南达科塔州）

适于冲撞的骨骼

隆起的头骨可以承受外部直接的撞击，并把冲击力转移到脊椎骨上。头骨脑壳厚达25厘米，只在颅腔内给大脑留下很小一部分空间。连成一线的椎骨加强了脊椎骨的坚固性。

肿头龙
坚硬的脑壳

1940年人们发现一块长约60厘米、完整的肿头龙头骨化石。在那之前，人们对于肿头龙的了解还只限于一些不完整的猜测。这种恐龙的头顶上有一块高高隆起的坚硬的骨头，四周环绕着一圈小骨钉。像今天的山羊一样，它们可能依靠头部撞击对手来保护自己，或与其他雄性争夺配偶。肿头龙的头骨结构适于它们将冲撞时对脑部造成的冲击力转移到脊椎骨——脊椎骨上有许多韧带可以吸收转移过来的震动。肿头龙牙齿很尖，牙两侧的凸起可以帮助它们切碎叶子、种子和坚果。

争夺配偶的战争

肿头龙是食草动物，它们的求偶行为或许类似今天的山羊或鹿。在争夺配偶的战争中，雄性肿头龙会用头部猛烈地撞击对手，造成的巨响能传到很远的地方。

厚重的尾巴
尾部抬起时与后背的脊椎骨连成一线，以此吸收头部撞击产生的冲击力。

长腿
肿头龙的腿很长，能在短时间内加速至冲撞所需的速度。

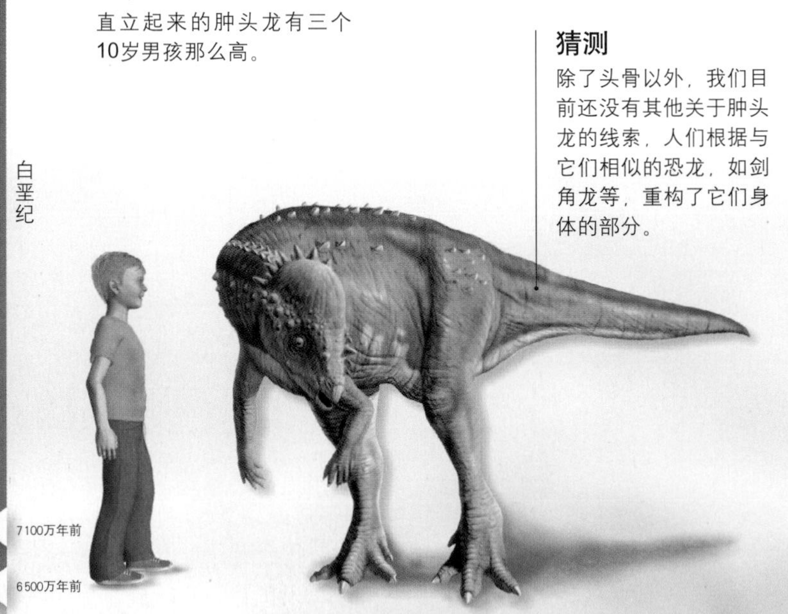

比较大小
直立起来的肿头龙有三个10岁男孩那么高。

猜测
除了头骨以外，我们目前还没有其他关于肿头龙的线索，人们根据与它们相似的恐龙，如剑角龙等，重构了它们身体的部分。

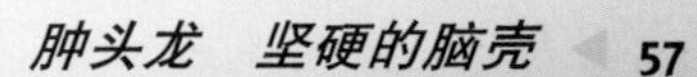

撞击者

雄性肿头龙瞄准对手，用头顶的隆起撞击对手，以此达到最大的撞击效果。

被撞击者

如果被撞击者没有对准头部，而被撞到了身体的其他部分，那么这种撞击将给它造成严重的伤害。

雌性肿头龙

雌性肿头龙的头上没有隆起和骨钉，它们要比雄性恐龙瘦小得多。

2.45亿年前

三叠纪

2.08亿年前

侏罗纪

1.44亿年前

白垩纪

6700万年前

6500万年前

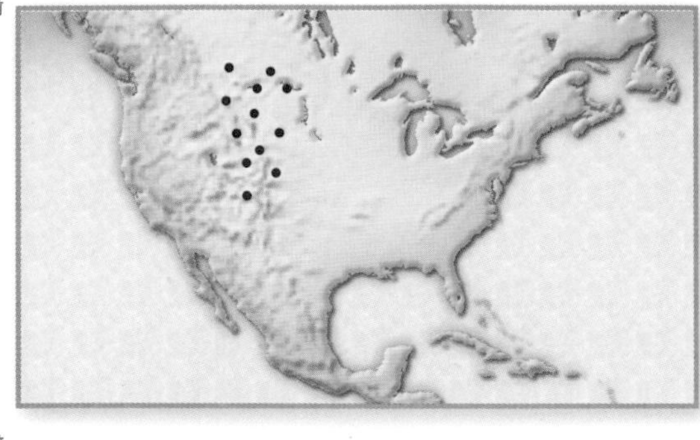

三角龙：资料

拉丁文名称：Triceratops

拉丁文名称含义：长着三支角的脸

时期：白垩纪晚期

分类：鸟臀目

食物：植物

身体尺寸：长9米；高3米

重量：5.4吨

发现者和发现时间：1888年由约翰·哈撒发现

化石发现地：美国西部和加拿大

保护幼龙

大群的三角龙生活在一起。当危险来袭时，成年三角龙会像犀牛那样在幼龙周围站成一个保护圈。

三角龙
三支长角

三角龙是一种像犀牛一样的恐龙。在它巨大的头骨后面长有一扇坚硬的骨盾，鼻子和眼睛上方分别长有长角。这种沉重而强壮的动物以四足着地行走，用角质喙和紧密的牙齿咬食植物。三角龙常群居而生，大量的化石发现证明它们是白垩纪晚期北美洲最常见的恐龙之一。小三角龙长着短而粗的角，这些角在成年后会向前探出，主要用于防守时驱赶攻击者，而不是为了主动冲撞对方。

青年三角龙

它们的眼睛上方是正在发育中的长角，角尖朝向后方，头后的骨盾上还长有鳞板。

比较大小

三角龙的高度是一个10岁男孩高度的2倍。

幼龙头骨

骨盾长度占整个头骨长度的45%。

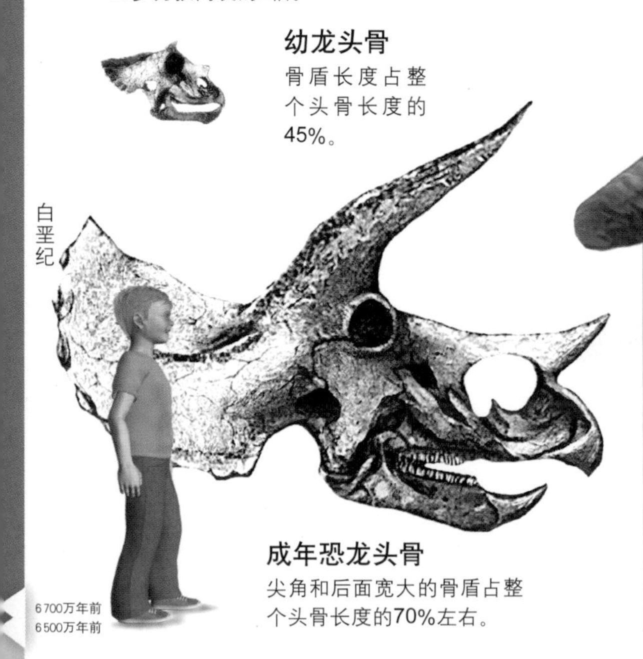

成年恐龙头骨

尖角和后面宽大的骨盾占整个头骨长度的70%左右。

骨盾家族

长角恐龙（角龙）生长骨盾和长角的方式多种多样，有的只有一根长角，有的骨盾上还生有骨钉或孔洞。

戟龙 鼻子上方长有巨大的长角，骨盾上还有6根骨钉。

刺角龙 鼻子上方有弯曲的长角，骨盾生有两个孔洞，周围长满短小的角。

关于进攻

三角龙一般不会主动攻击其他食肉恐龙，它们的头骨比较脆弱，只能用角威慑进攻者。

成年三角龙

成年三角龙的长角发育成熟并向前探出，骨盾十分光滑，有三角形的边缘凸起。

少年三角龙

少年三角龙头上的角开始发育，骨盾边缘长出一条波纹状的边。

三角龙宝宝

小三角龙眼睛上方的角又短又粗，鼻子上方的角很短，未发育的骨盾有一条贝壳状的边。

恐龙家族

恐龙分类

蜥臀目恐龙

兽脚类恐龙 食肉龙

腔骨龙

这种恐龙体长约3米，是灵敏的食肉者。它们长有长长的前肢和利爪，成群生活在北美洲。

重爪龙

这种类似鳄鱼的恐龙体长约9米，它们用巨大的钩状爪子捕食鱼类。

盗蛋龙

这种恐龙体长约3米，嘴里没有牙齿，以吞食植物、种子或小型动物为生。

伤齿龙

一种高智商的食肉恐龙，生活在北美洲地区，大大的眼睛让它们在夜间也能捕食。

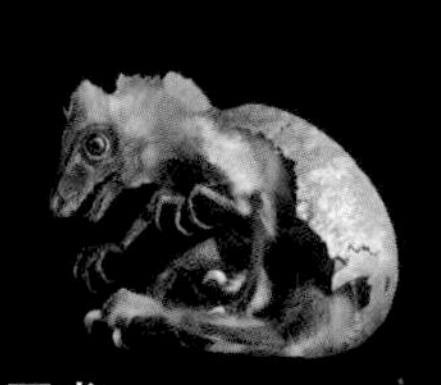

冠龙

这种生活在中国的恐龙体长约2米，是霸王龙的祖先，头上长有做装饰用的奇特的冠。

棘背龙

它们的体长可达18米，是兽脚类恐龙中最长的，背上长有高高的骨冠。

恐爪龙

这种生活在北美的“猛禽”体长约3米，它们长着镰刀一样的爪子，经常结群出猎。

迅猛龙

这种恐龙生活在蒙古地区，体长约1米，是长着镰刀状爪子的“猛禽”，并有像狼一样的窄长的嘴。

似鸵龙

异特龙

霸王龙

鸟类

黄昏鸟

早期的潜水鸟,生活在北美洲地区，与霸王龙生活在同一个时期，以鱼为食。

始祖鸟

鸟臀目恐龙

包头龙

甲龙

这种全副武装的恐龙长约10米，有骨板保护背部，尾巴上还有用来防御的骨锤。

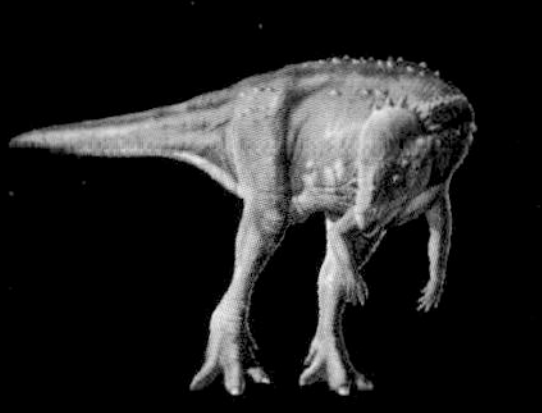

肿头龙

原角龙

这种食草恐龙体长约3米，是当时蒙古最常见的小型恐龙之一。

副栉龙

慈母龙

这种食草恐龙生活在北美洲地区，群居而生，它们筑巢看护幼龙。

剑龙

三角龙

禽龙

这种恐龙成群地生活在欧洲、北美洲和亚洲等地区，是人们第二个发现的恐龙。

蜥脚类恐龙食草龙

梁龙

长颈巨龙

这种在非洲发现的食草巨人，体长23米，高16米。

重龙

这种在北美发现的食草恐龙长26米，长着窄小的脸和铅笔一样的牙齿。

板龙

雷龙

一种在北美洲发现的食草动物，以前也叫做迷惑龙，它们的大脑与今天的猫脑差不多大小。

梅拉诺龙

一种在非洲发现的食草恐龙，长12米，偶尔可以只用后腿行走。

词汇表

被子植物(angiosperm) 所有开花的植物，比如草。

甲龙(ankylosaurs) 一组食草恐龙族群，比如白垩纪晚期时生活在北美、欧洲和亚洲的包头龙。它们身上长有骨板和骨钉，头骨很厚，尾巴上有骨锤。

关节骨(articulated bones) 指将骨头排列在正确位置，以组成骨骼的骨头。

细菌(bacteria) 一种微生物，在动物或植物尸体腐烂的过程中起着主要作用。

颅骨(braincase) 指包裹并保护着大脑的那部分头骨。因为很少有恐龙大脑能保留下来，所以古生物学家主要通过研究颅腔来估算它们大脑的大小。

伪装(camouflage) 一种通过融入周围环境使自己不再显现或隐藏自己的办法，有些恐龙也会变换自己身体的颜色，以躲避捕食者的追击。

食肉类(carnivore) 指以肉为食的动物或植物。

软骨(cartilage) 软骨由柔软、韧性强的组织发育而成，而后形成成熟的骨骼。软骨通常不会石化。

铸型(cast) 指骨骼化石的精确复制品，常由塑料、石膏或树脂制成。软组织也可以由镶入石头的铸型化石保存下来。

新生代(Cenozoic era) 这一时期开始于恐龙灭绝的6 500万年前，又被称做是哺乳动物的时代。

头足类动物(cephalopod) 一组软体动物族群，大多数都长有一个可以容纳自己的坚硬外壳，如章鱼、鱿鱼、乌贼或鹦鹉螺等，它们是蜗牛的亲戚。

角龙(ceratopsians) 一组食草类恐龙，比如三角龙。它们四脚着地行走，头上长有长角，头后面有骨盾，是最后一种群居的恐龙。它们生活在2 000万年前的北美洲和亚洲平原上。

冷血动物(cold-blooded) 人们把蛇和蜥蜴这样的动物称为冷血动物。它们靠外部的环境来维持体温，寒冷的天气里它们很少活动。

针叶植物(conifer) 一种长有坚硬、针状树叶的植物，如松树。它们的种子被包裹在球果内。

粪便化石(coprolite) 变成化石的粪便。

白垩纪(Cretaceous period) 中生代的第三纪、也是它最后的一个地质时期，指从1.44亿年前到6500万年前的这段时间，此纪以恐龙进化、而后灭绝为主要特征。

苏铁类植物(cycad) 一种原始的掌状树种，在三叠纪和侏罗纪时达到鼎盛。这种植物长有坚硬的木质树干和茂密的羽状枝叶，结球果种子。它们中只有很少的一部分存活到今天，所有这类植物对哺乳动物来说都是有毒的。

外部作用(erosion) 指水流、雨水、海浪、冰川和风等对地表的侵蚀作用。

进化(evolution) 指不同种类的植物或动物在数百万年间发生的变化。恐龙由它们的祖先进化而来，又在新生代时进化成不同的物种。

发掘(excavation) 挖开地表寻找要找的东西。每种化石都是在工作人员精心地发掘中找到的。

灭绝(extinction) 指整个物种的彻底消亡，或某一地区动物和植物的大范围死亡（也称为集体灭绝）。恐龙在白垩纪晚期灭绝，它们的近亲——鸟类却生存了下来。

化石(fossil) 能够证明生命曾经存在的证据或线索，通常埋在地下并经历了深层次的变化（化石化作用）。它们可能由动物或植物的尸体转化而成，也有可能由它们留在石头上的遗迹发展而来。

胃石(gastroliths) 胃或砂囊里的小石头。一些恐龙专门吞食这种小石头，帮助消化胃里的食物。

冈瓦那(Gondwana) 指泛古陆的南半部，泛古陆在大约2.08亿年前开始分裂成两部分。

鸭嘴龙(hadrosaurs) 一组长着鸭嘴的食草恐龙，如副栉龙。它们长着宽大的、像鸭子嘴一样的喙，很多头上还长有骨冠。它们在白垩纪早期的亚洲进化成熟，之后繁衍至欧洲和美洲大陆，是当时最常见的鸟臀目恐龙之一。

食草动物(herbivore) 只吃植物的动物。

木贼属蕨类植物(horsetail fern) 生活在沼泽的原始植物，是蕨类植物的一种。它们曾经像今天的蕨类植物一样高大，但是只有很少的几种存活至今。

鱼龙(ichthyosaurs) 一种类似鱼类的海洋爬行动物，与恐龙生活在同一个年代。它们有类似海豚的身体，并在海洋中产下幼崽。

髂骨(ilium) 骨盆的主要部分，它支持着腿部肌肉，并和脊椎骨相连。

坐骨(ischium) 也是骨盆的组成部分。恐龙的坐骨向下生长，支持着腿部和尾部的肌肉。

侏罗纪(Jurassic period) 中生代的中间期，包含了从2.08亿年前至1.44亿年前的这段时间。当时的地球环境为新种类恐龙的繁盛提供了有利条件，特别是一些大型的长颈蜥脚类动物。

劳亚古大陆(Laurasia) 指泛古陆的北半部，泛古陆在大约2.08亿年前开始分裂成两部分。

哺乳动物(mammals) 一组有脊椎动物族群，它们长有毛发和皮，以乳汁喂食幼崽。人、狗、猫和蝙蝠等都属于此类动物。

中生代(Mesozoic era) 恐龙的时代。它开始于恐龙还未完全进化的2.45亿年前，一直延续到植物和动物大量灭绝的6 500年前，包括了三叠纪、侏罗纪和白垩纪三个时期。

陨星（meteorite） 从外层空间坠落到地球表面的大块石头或金属物质。

沧龙（mosasaurs） 沧龙是一种已经绝迹的水生蜥蜴，也被称为海龙。它们生活在白垩纪晚期的沿海地区，长有像鳗一样的身体和鳍状四肢。

木乃伊化（mummified） 指被风或热气干燥的处理过程。有些恐龙死后被埋在沙下或者火山灰里，它们的尸体经由这种方式保留下来，甚至皮肤和身体器官也会被石化。

杂食动物（omnivore） 吃肉、同时也以植物为食的动物。

鸟臀目恐龙（ornithischians） 这种恐龙的耻骨向后或向下伸展，与坐骨平行，所有的鸟臀目恐龙都是食草动物。

鸟脚类恐龙（ornithopods） 指鸟臀目鸟脚亚目的恐龙，包括鸭嘴龙、肿头龙和一些长有角和骨板的食草恐龙。

肿头龙（pachycephalosaurs） 一组头骨高高隆起的食草恐龙，包括剑角龙和肿头龙，它们生活在白垩纪晚期的北美洲和亚洲。

古生物学家（paleontologist） 指专门研究古代生命，尤其是植物或动物化石的科学家。

古生代（Paleozoic era） 地质年代的一个时期，在中生代之前，包括了寒武纪、奥陶纪、志留纪、泥盆纪、石炭纪和二叠纪等几个时期。开始于5.4亿年前生命开始出现的寒武纪，结束于2.45亿年前生物毁灭性灭绝的二叠纪。

泛古陆（Pangaea） 地球上最早的一块大陆，是所有现代大陆的雏形。它形成于二叠纪，在侏罗纪时期逐渐分离。

石化（petrified） 指骨头或其他身体组织的外层被矿物所替代。

蛇颈龙（plesiosaurs） 一种大型、食鱼的海生爬行动物，繁盛于侏罗纪和白垩纪。它们长长的脖子可以伸出海面，用船桨一样的四肢在水中划行。

上龙（pliosaurs） 一种海生爬行动物族群，比如滑齿龙，被称做是中生代时期的海洋杀手。它们的头较大，牙齿坚硬有力，脖子很短，并生有强壮的流线型身体。

捕食者（predator） 一种以捕猎其他动物为生的动物。

被捕食者（prey） 指被其他动物捕食的动物。

蜥蜴类爬行动物（prosauropods） 它们是最早恐龙的一种、长颈蜥脚类恐龙的祖先，食草为生，生活在三叠纪晚期至侏罗纪早期的这段时间。

翼龙（pterosaurs） 一种会飞翔的爬行动物，于三叠纪晚期进化出现。它们的翼展从45厘米至12米不等。

耻骨（pubis） 骨盆较低处的骨头之一。蜥臀目恐龙的耻骨指向前方，而鸟臀目恐龙的耻骨则与坐骨平行，并向后方延伸。

爬行动物（reptiles） 一组卵生的有脊椎动物，通常长有鳞状皮肤，如蜥蜴和蛇。

蜥臀目恐龙（saurischians） 耻骨向前伸展，直至骨盆的前端。食肉、以后腿行走的兽脚类恐龙和食草、以四肢着地行走的蜥脚类恐龙都属于蜥臀目恐龙。

蜥脚类恐龙（sauropods） 指四肢着地行走的恐龙，如梁龙，并长有长长的脖子和尾巴。尽管这些食草动物长有鸟一样的臀，但它们却都属于蜥臀目恐龙。这种恐龙在三叠纪晚期进化成熟，几乎包含了当时在陆地上行走的所有大型动物。

食腐动物（scavenger） 以动物的尸体为食的食肉动物，它们或等猎食者饱食后再进食，或直接从猎食者那里偷取食物。

锯齿状牙齿（serrated teeth） 指长有像锯一样边缘的牙齿。许多兽脚类恐龙都生有这种牙齿，以帮助撕咬猎物。

物种（species） 一组具有共同特征，可以相互间交配繁衍后代的动物或植物。相似的物种又组成了类。

剑龙（stegosaurs） 一种四肢着地行走的食草恐龙，背上有长而坚固的骨板，尾巴上有锋利的骨钉。它们生活在侏罗纪晚期的北美洲、欧洲、亚洲和非洲。

兽脚类恐龙（theropods） 指所有食肉的恐龙。它们都属于蜥臀目恐龙，前肢小，主要用后肢行走。

足痕（trackways） 指动物在松软的地面上走过或者跑过后留下的足迹，这些足迹有时也会形成化石。

三叠纪（Triassic period） 它是中生代中的第一个地质时期，包含从2.45亿年前至2.08亿年前的这段时期。恐龙在这一时期的中段出现，大约距今是2.28亿年。

三叶虫（trilobite） 一种小型的、类似甲虫的生物。它们的身体由三部分组成，生活在古生代的海洋中。它们在恐龙即将到来之前——二叠纪的晚期灭绝。

霸王龙（tyrannosaurs） 兽脚类恐龙的一种。它们前肢短小、后肢强壮，是凶猛的食肉恐龙。

椎骨（vertebrae） 指沿着脊骨生长的骨头，它们从头骨底部一直延续到尾部，可以很好地保护脊椎。

温血动物（warm-blooded） 一些如哺乳类或鸟类的动物被称为温血动物。它们身体的热量来自所吃的食物，所以体温基本不变，一年四季都可灵活运动。

索引

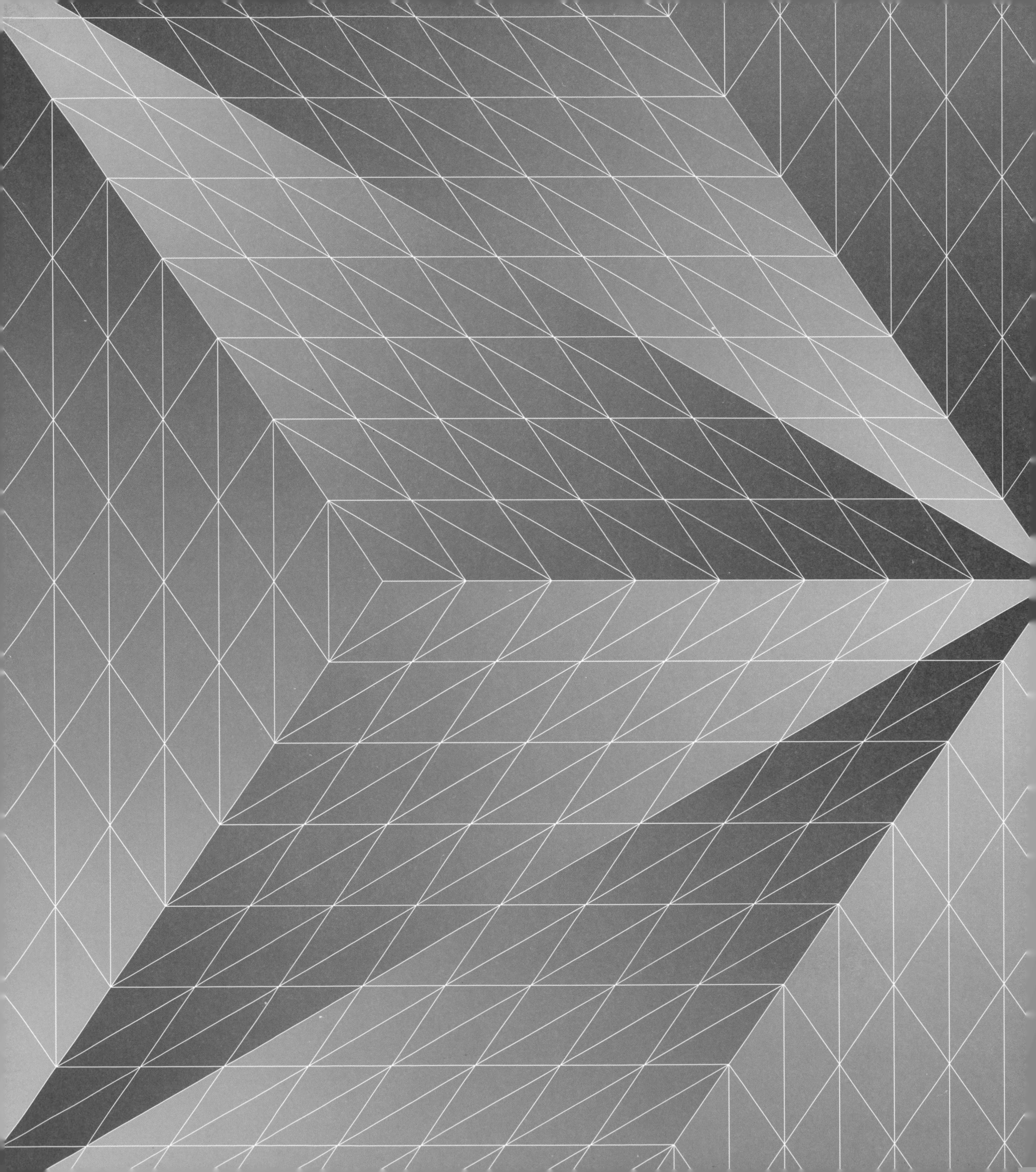